hiwmor Y CILIE

hiwmor Y CILIE

Jon Meirion Jones

Argraffiad cyntaf: 2019

Cynllun y clawr: Y Lolfa
Llun y clawr: Arvid Parry Jones

Rhif Llyfr Rhyngwladol: 978 1 78461 805 6

Dymuna'r cyhoeddwyr gydnabod cymorth ariannol Cyngor Llyfrau Cymru

Cyhoeddwyd ac argraffwyd yng Nghymru ar bapur o goedwigoedd cynaliadwy gan
Y Lolfa Cyf., Talybont, Ceredigion SY24 5HE
e-bost ylolfa@ylolfa.com
gwefan www.ylolfa.com
ffôn 01970 832 304
ffacs 01970 832 782

Rhagair
gan Jon Meirion Jones

Rwyf i'n or-ŵyr i Jeremiah Jones, y Cilie, yn ŵyr i Esther, a mab hynaf John Alun ac Ellena. Felly mae gen i gasgliad go helaeth o atgofion am fy nghyndeidiau, ac mae'n bleser bod wedi cael y cyfle i'w hel ynghyd yn y gyfrol fach hon.

Ni welais fy nhad ond rhyw bedair gwaith cyn imi gyrraedd fy mhen-blwydd yn un ar ddeg oed, a hynny am ychydig wythnosau ar y tro. Eto, ni theimlwn yn wahanol i blant eraill y fro oherwydd roedd ardal fy magwraeth ym Mlaencelyn a Phontgarreg ym mhlwyf Llangrannog yn frith o gartrefi morwyr. Yn ystod y 1940au a'r 50au, o fewn dwy filltir i'n cartref, heb gynnwys pentref Llangrannog, cyfrifais 42 o forwyr gyda 22 ohonynt yn gapteiniaid.

Aeth deg o deulu'r Cilie i'r môr, tri ohonynt yn gapteiniaid ac un ohonynt yn aelod o griw cwch hwylio mewn ras o amgylch y byd. Roedd dychweliad Nhad gartref ar ôl mordaith hir, wedi cyfnod o dair blynedd weithiau, yn achlysur cyffrous iawn. Dôi'r gist, y cesys a'r sachau wythnos neu ragor o'i flaen trwy lorri Bert Thomas (G.W.R.). Dieithryn oedd i mi ac roedd yn deimlad anghysurus ar y dechrau pan godai fi yn ei freichiau. Ond yn fuan daethom yn ffrindiau mawr.

Byddai Mam yn ymweld â'r llongau yng Nghaerdydd, Falmouth, Newcastle-upon-Tyne a Rotterdam os byddai Nhad yn methu dod adre. Nid oes cof gennyf o weld crych o ofid ar wyneb Mam erioed. Yng nghanol blynyddoedd gofidus yr Ail Ryfel Byd byddai ei hurddas anhunanol yn ein cynnal trwy'r cyfan.

Yn ystod ein harddegau, cyngor Nhad i ni oedd:

'Jon, dwyt ti ddim yn cael mynd i'r môr.'

'Wynne, dwyt tithau ddim yn cael mynd i'r môr.'

'Anwylyd, dwyt ti ddim yn cael priodi morwr.'

'Tudor, dim morwra i tithau chwaith.'

Ni chawsom fynd yn rhy agos i'w longau rhag ofn y caem ryw syniadau. Fe aeth y pedwar ohonom i golegau ac ennill tystysgrifau athrawon.

Roedd Nhad wedi gweld blynyddoedd y dirwasgiad ac yn ystod 1933–35 bu ef a Mam yn cadw siop a busnes llaeth yn 147 Fairbridge Road, Finsbury Park, Llundain. Yn ystod yr Ail Ryfel Byd collodd un o'i longau a suddodd i'r gwaelod mewn deng munud ar ôl cael ei tharo gan ffrwydryn môr. Ac mewn confoi gwelodd lawer o longau eraill yn mynd i'r gwaelod – *with all hands* – wrth groesi'r Iwerydd.

Roedd ein cartref newydd, Cilfor, yn aelwyd ddwyieithog – Cymraeg a chynghanedd! Byddwn yn gyson yn ailysgrifennu englynion o waith fy nhad o bellafoedd byd – cyn eu danfon ymlaen i'r beirniaid mewn eisteddfodau lleol a chenedlaethol. Bu raid cofrestru yn yr Awyrlu fel rhan o'r Gwasanaeth Milwrol, i saliwtio popeth oedd yn symud a pheintio popeth oedd yn llonydd.

Wedi dwy flynedd yng Ngholeg y Drindod a chwarae Herod frenin yn nrama 'Y Tri Brenin o Gwlen' – gyda Norah Isaac yn cynhyrchu – a bod yn gapten tîm hoci y dynion, rhaid oedd chwilio am swydd. Bûm yn dysgu yn Llundain am flwyddyn a dau dymor, ac yn Amwythig am wyth mlynedd. Yno roedd gennym gapel Cymraeg, y Tabernacl, gyda 130 o aelodau a'r gweinidog oedd y Parchedig Cledwyn Devonald, ac roedd yno Gymdeithas Gymraeg a Chwmni Drama Cymraeg. Dychwelyd i'r Ferwig fel pennaeth oedd y cam nesaf am gyfnod o wyth mlynedd, cyn symud i Landudoch, hefyd fel pennaeth, am bymtheg mlynedd cyn ymddeol.

Roedd yn braf cael dychwelyd i Geredigion deg a chael mwynhau iaith y nefoedd mewn cymdeithas wâr, werinol, a hogi'r awydd i gyfansoddi yng nghwmni duwies yr Awen a *Thalwrn y Beirdd*. Braf hefyd oedd i'r plant, Anwen Tydu a Gareth Wyn, gael eu codi yn Gymry ffyddlon ac eangfrydig.

TEULU'R CILIE

(Hyd at wyrion ac wyresau Jeremiah a Mary Jones)

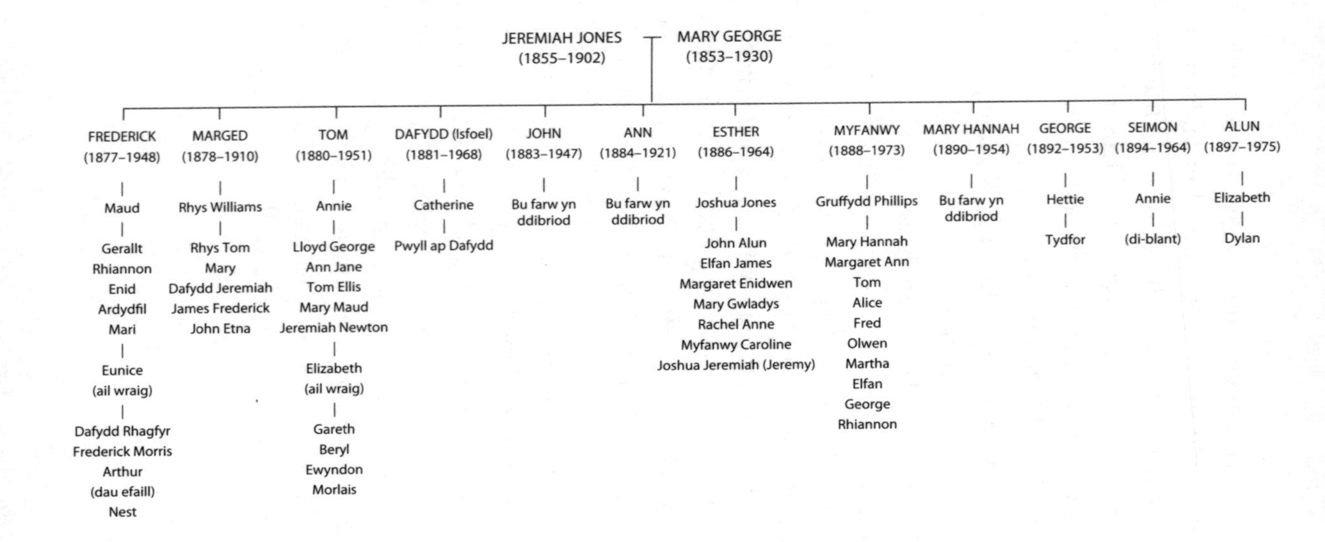

Teulu'r Cilie

Jeremiah Jones yw'r cymeriad allweddol yn hanes llenyddol a rhamant teulu'r Cilie. Fe'i ganwyd yn efail y gof, Penybryn, ger Cilgerran, ac etifeddodd grefft gofaint ei dad. Bu'n gweithio ym Mhont-hirwaun, Caerdydd, Lan-dŵr (Abertawe), Felin-wynt a'r Ferwig. Yno bu'n ymarfer ei 'seiens' fel carwr dan fantell y tywyllwch cyn swyno un o rianedd gorau'r wlad – Mary George. Priododd y ddau a sefydlwyd nyth yn y Green Dragon ar fanc Elusendy (Blaencelyn) – hefyd mewn efail – a ganwyd wyth o blant iddynt yno.

Bu Jeremiah yn barddoni ac ymhlith ei gerddi roedd baled o'r enw 'Tair Erw a Buwch' a fabwysiadwyd gan y Dr Pan Jones. Wrth chwilio am le mwy i fyw, cymerodd y 'Continent' – sef fferm 300 erw y Cilie, lle ganwyd pedwar o blant eraill iddynt.

Etifeddodd y bechgyn, a rhai o'r merched, y ddawn i farddoni. Aeth dau o'r bechgyn i'r weinidogaeth. Roedd Fred yn un o sylfaenwyr Plaid Cymru ac yn fardd llwyddiannus, ac enillodd Simon Bartholomew Goron yr Eisteddfod Genedlaethol yn Wrecsam yn 1933, gyda cherdd o'r enw 'Rownd yr Horn', ac ennill Cadair y Brifwyl yn Abergwaun yn 1936 gyda'i awdl 'Tyddewi'. Cyhoeddodd y brodyr ryw ddeg o gyfrolau o farddoniaeth a rhyddiaith rhyngddynt.

Ganwyd yr wyth plentyn cyntaf i Jeremiah a Mary (George), ag un enw bedydd yr un, yn Efail Blaencelyn:

Teulu'r Cilie (cyn geni Alun)

Llun Teulu'r Cilie (cyn geni Alun). Cefn (o'r chwith): John, Ann, Tom, Myfanwy, Fred, Isfoel. Blaen (o'r chwith): Mary, Simon, Jeremiah, Siors (ar y stôl fach), Esther, Margaret a Mary Hannah.

- Frederick
- Margaret/Marged
- Thomas
- David
- John
- Ann
- Esther
- Myfanwy

Ganwyd y pedwar olaf yn y Cilie ond gyda dau enw bedydd yr un:

- Mary Hannah
- Evan George

- Simon Bartholomew
- Alun Jeremiah

Ond penderfynodd yr wyth cyntaf y dylent hwythau gael dau enw (yn answyddogol):

- Frederick Cadwaladr
- Marged Mathla
- Tom Dryll (Pentre)
- Dafydd Isfoel
- John Tydu (Ceredigion / Cyrus)
- Ann Boleyn
- Esther Amelia
- Myfanwy Caroline

Ond israddwyd y pedwar olaf i un enw!

- William (Mary Hannah)
- Siors (Evan George)
- Yr hen Beb, S.B., neu Yr Efengyl (Simon Bartholomew)
- Cochyn (Alun Jeremiah)

Gofaint, crefftwyr ac amaethwyr oedd cyndeidiau teulu'r Cilie, ond wedi symud i ardal fry uwchben clogwyni arfordir de-orllewin Cymru roedd hi'n anochel i gyfaredd y môr, yn hwyr neu'n hwyrach, ymyrryd â bywydau beunyddiol y cenedlaethau dilynol.

Aeth un ar ddeg o deulu'r Cilie i forwra. Ymunodd Simon Bartholomew â'r *SS Tripoli* yn 17 oed ond yn Buenos Aires cwympodd i lawr yr howld a thorri ei ddwy goes, a bu mewn plaster a chadachau a'i goesau yn hongian yn ddiymadferth o olwynion dyfeisgarwch. Bu yno am naw mis, ac yno penderfynodd nad morwr ydoedd, ac aeth i'r weinidogaeth.

Ymhlith y bechgyn eraill roedd:

- Dafydd Jeremiah Williams (Capten)
- Frederick James Williams
- John Etna Williams (Capten) – tri brawd.
- Lloyd George Jones
- Thomas Ellis Jones – dau frawd.
- Elfan James Jones
- Berian Vaughan – mab Martha a Trefor, ŵyr Myfanwy'r Cilie.
- Gerallt Jones (gweinidog wedyn)
- John Alun Jones (Capten)
- Gwyn Tudur Williams (Ras hwylio o amgylch y byd) – ŵyr John Etna Williams.

'Ar eingion aelwyd y Cilie yr asiwyd cymeriad, cadernid cymeriad a fu'n meithrin annibyniaeth barn; drwy hyder a dychymyg a thrwy ymarfer dawn gynhenid, esgorwyd ar gelfyddyd; ac wrth daro haearn ar haearn tasgodd gwreichion y disgynyddion gan gynnal cymdeithas yn anrhydeddwr.' (*Teulu'r Cilie* – Jon Meirion Jones).

Ac er mai Gerallt Jones, Fred Williams, y Capten Jac Alun, a Thydfor a adwaenir fel disgyblion yr Awen, amlygodd eraill eu harbenigrwydd mewn meysydd gwahanol, megis y weinidogaeth, y gyfraith a gwasanaeth dyngarol ym myd meddygaeth a nyrsio.

Daeth eraill i'r brig fel arloeswyr a phenaethiaid addysg, morwyr, peirianwyr, amaethwyr, cantorion, actorion ac areithwyr, gwŷr busnes a bancwyr ac arweinwyr llywodraeth leol a chenedlaethol.

Rhai o nodweddion pennaf aelodau teulu'r Cilie oedd eu ffraethineb, eu hiwmor iach a doniolwch eu hymadrodd mewn sgwrs lafar, ysgrifau ac mewn barddoniaeth. Rhedai elfennau o hynodrwydd rhamantus a gwreiddiol trwy'r cymeriadau hoffus, a rhoddai hyn flas arbennig i'r hiwmor. Ac oherwydd safle unig fferm 300 erw y Cilie – fry uwchben arfordir creigiog ardal Cwmtydu, ymhell o ddwndwr byd – fe grëwyd isddiwylliant unigryw a ychwanegodd elfennau gwahanol i'w hanes.

FFERM Y CILIE

Mynnaf nad fferm mohoni, – ei hawen
    yw'r cynhaeaf ynddi;
  a blaenffrwyth ei thylwyth hi
  yw y grawn geir ohoni.

GERALLT LLOYD OWEN

Ar glos y Cilie, Medi 1978. O'r chwith: Gerallt Jones, Jac Alun Jones, Elfan Jones, Lyn Ebenezer, Jeremy Jones, Tydfor Jones a Thomas Phillips.

JEREMIAH JONES

Patriarch teulu'r Cilie – gof, amaethwr, bardd.

Pan ddaeth y Parchedig Lewis Evans yn weinidog ar Gapel-y-wig, ac yntau'n ŵr o Sir Benfro fel Jeremiah Jones, tynnodd y ddau ymlaen yn dda gyda'i gilydd. Newidiodd y gof ei ffordd o fyw a daeth yn aelod ffyddlon o gymdeithas y capel.

Unwaith fe wahoddwyd 'Jerry' i ddechrau oedfa a dewisodd ddarllen salm hwya'r Beibl – Salm CXIX. Pan orffennodd, roedd yn bryd i'r gweinidog offrymu'r Fendith a gadael y cysegr a diffodd y lampau paraffin. Byddai Jeremiah yn dechrau'r ysgol Sul neu'r 'Seiet' gan ddarllen yn hyglyw a chlir, ac yn rhoi ffling i weddïo ar ei liniau.

Hoffai ddadlau yn y dosbarth gan gymhwyso'r adnodau at rywun neu rywbeth. Unwaith, wrth drafod y pwnc a oedd yn seiliedig ar yr adnod 'y corff yn fwy na'r dillad', trodd at Dafi Dafis, teiliwr Penbont, a oedd yn eistedd ar ei bwys:

'Ai fan hyn gest ti, Dafi, fesurau fy nhrowser i?'

★

Bu i Thomas Jones, brawd Jeremiah, briodi am y trydydd tro.

Yr hen Dwm ar wan dymor – wedi rhoi
Dwy wraig dan y mynor,
Aeth ag arall i'r allor –
'Na i ti ffŵl – yn *eighty four*!

DAFYDD ISFOEL

★

Enillodd Jeremiah Jones y wobr gyntaf yn Pisgah am lunio englyn i'r 'Wennol'. Ei wobr oedd 'ffon ddraenen drom' a sylw ei fab Isfoel oedd: 'Roedd yn fwy o rwystr nag o gymorth. Rhoddwyd chwe modfedd o ruban gyda hi!'

Y WENNOL

Dyfais i ddwyn edefyn – yw'r wennol,
Chwaer annwyl wna'r brethyn;
A ffaith fel hed â'i phwythyn
Mesura daith amser dyn.

FREDERICK

Stori gan J. R. Jones, Tal-y-bont am y Parch. Frederick Jones, plentyn hynaf Jeremiah a Mary.

Fred Jones oedd yn gyfrifol trwy ei safiad fod y Gymraeg yn cael ei defnyddio am y tro cyntaf mewn llys ynadon yng Ngheredigion. Cyhuddwyd ffermwr lleol am fod ei gŵn afreolus wedi bod yn cwrso defaid. Daeth cais i Faesmor (Y Mans, Tal-y-bont) i Fred fynd i'r llys i ddweud gair ar ran y cyhuddedig.

Ni allai'r ffermwr ddeall y cyfreithiwr, ac ni allai'r cyfreithiwr ei ddeall yntau ychwaith, ac roedd cyfiawnder wedi dod i ben yn y fan honno. Gwahoddwyd Fred Jones i gyfieithu'r hyn a ddywedai'r ffermwr ond cyflwynodd ei dystiolaeth yn Gymraeg a gwrthododd wneud hynny yn Saesneg. Neidiodd y cyfreithiwr ar ei draed gan ddweud,

'The Rev. Jones is an educated man and is quite able to express himself in English. I don't understand the Welsh language: will he please —?'

'No, I will not speak in English. Mae e wedi ymgyfoethogi yn yr ardal am flynyddoedd ar draul ffermwyr cefn gwlad yr ardaloedd hyn a thrwy Gymru. Mae'n disgwyl i Mr Parry ei ddeall ond dyw e ddim yn barod i ddeall Mr Parry. Dwi ddim yn credu y dylwn i siarad Saesneg ag e, Mr Cadeirydd, a dwi ddim yn credu y dylai'r llys chwaith.'

'Oh well then,' meddai'r cadeirydd, 'we must have an interrupter!'

Ffrwydrodd y llys gan chwerthin.

*

Stori gan y Parch. F. M. Jones.

Un tro mewn cyfarfod chwarter ym Methesda Tŷ Nant pan oedd y radio yn cyrraedd i'r ardal, a'r plant i gyd adre ym Maesmawr, gofynnodd rhywun i Fred,

'Oes *wireless* gyda chi, Mr Jones?'

A'i ateb, 'Nac oes, does 'co'r un *wireless* ond ma 'co lond tŷ o *loudspeakers*.'

*

Dro arall roedd yn cyflwyno dynes o'r enw Dr Maude Roydon yn Neuadd y Parc a'r Dâr yn Nhonpentre.

'It is not a short man with a black beard, it is not a tall man with a red beard, she is not a man at all.'

Stori am Beryl Jones, Angorfa, Llangrannog – ail ferch Tom Pentre a'i ail wraig Elizabeth Jones.

Wedi cynnal Ffair Gynnyrch yn y garej yn Llangrannog, gwerthwyd llawer o'r bwydydd ar y diwedd.

'Jiw, wedd y darten riwbo'n ffein! Fyten i sawl un,' meddai un o'r gwragedd.

'Fyddet ti ddim yn dweud hynna pe wyddet ti beth wy'n ei wbod,' meddai Beryl.

Un o gymeriadau'r pentre oedd Dai Pom Pom. Byddai'n mwmian cân dan ei anadl ac yn gorffen bob amser gyda 'Pom didl di pom, pom, pom, pom!'

Cerddai Dai adre ar ôl cael sawl dropyn yn y Pentre Arms. Arhosai uwchben gardd Preswylfa, ac yn yr un man, bob nos.

'Weles i fe sawl gwaith,' meddai Mrs Crompton. 'Wedd e'n piso lawr o ben y wal ar y pâm riwbo. Dim rhyfedd fod y tarts riwbo yn ffein!'

'Wen i byth yn prynu un ta beth,' meddai Beryl.

Pentre Arms, tafarn ar lan y môr yn Llangrannog, cartref ac eiddo Tom ac Elizabeth Jones. O gof Beryl Jones.
Dôi llawer o bobl enwog i aros yn y dafarn. Ond y cymeriad rhyfedda, efallai, oedd gŵr o Dre-fach Felindre a archebai gyfnod o wythnos yno. Dôi â chwningen farw gydag e. Bwyteai'r ddwy frest ar wahanol ddiwrnodau, wedyn dwy goes, yna'r ddwy goes arall ac efallai'r afu a'r arennau. Yna codai ei gwt a dychwelyd gartref, weithiau cyn diwedd yr wythnos!

★

Roedd heddgeidwad busneslyd o'r enw Moses Lloyd yn patrolo oddeutu tafarndai'r fro. Rhoddodd gic i Cora, ast Pentre Arms, unwaith. Oddeutu stop-tap rhoddwyd Cora i eistedd ar y ffordd ger y Shanti. Os cyfarthai, byddai'r yfwyr diwetha yn gwybod bod y PC yn y cyffinie! Tynnwyd yr hoelen allan o lats y drws, a phan geisiodd Moses Lloyd agor y drws, methodd â chodi'r lats.

Tu fewn, rhuthrodd pawb i arllwys y cwrw a'r gwirodydd i mewn i'r siston ddŵr ger y tân. Codwyd hoelen y lats o'r llawr, a daeth Moses Lloyd i mewn â'r gwydrau gweigion yn ei wynebu ar y byrddau. Ni fu'r un *summons* am yfed dros amser. Ond fore trannoeth, pan oedd Bessie Williams yn glanhau ac yn gollwng y dŵr allan o'r siston, meddai wrth Tom Jones,

'Tom, mae'r dŵr 'na'n fowlyd a'n frown iawn, mae eise glanhau'r siston!'

★

Roedd plant Pentre Arms, Llangrannog, yn hyderus a mentrus ac wedi magu adenydd yn gynnar iawn. Byddent yn cyfarfod â phobl o bell ac agos ac oherwydd elfen gyhoeddus eu cartref, a'r môr a'i donnau wrth drothwy'r drws, roeddent mor gyfarwydd ar fôr ag yr oeddent ar dir. Byddai Beryl yn cystadlu mewn eisteddfodau ac yn diddori cynulleidfaoedd mewn

Pentre Arms, Llangrannog, a Tom Jones, ei deulu a'r limosîn Dodge.
O'r chwith: Tom, Gareth, Elisabeth (ei wraig), Anne Jane a Beryl.

cyngherddau yn gynnar iawn. Derbyniai hyfforddiant oddi wrth Myfanwy Griffiths.

Un tro roedd wrthi'n dysgu darn telynegol hyfryd Crwys, 'Y Border Bach', ym Mhont Fair, cartref dysg Myfanwy Griffiths. Roedd ganddi labwst mawr o gi o'r enw Buller ac os clywai hwnnw sŵn traed y tu allan ar y ffordd, cyfarthai yn uchel. Cyfarthai hithau hefyd trwy weiddi ar y ci, 'Be quiet, Buller!'

A phan ddaeth yr awr i Beryl adrodd y darn i Neuadd yr Eglwys lawn – wele'r dehongliad:

Gydag ymyl troetffordd gul
A rannai'r ardd yn ddwy,
Roedd gan fy mam ei border bach
'Be quiet, Buller!'
O flodau perta'r plwy!

Fe dynnodd y tŷ i lawr!

★

Cynhaliwyd Gala Nofio flynyddol Ysgol Ramadeg Aberteifi yn afon Teifi ger Patch yn ystod tymor yr haf. Dewisodd yr athrawes y tîm gorau, yn ei thyb hi, gan gynnwys seren o dre Aberteifi a nofiai fel môr-forwyn.

Dywedodd wrth Beryl, 'I have chosen the best team and there is no room for the selection of country bumpkins. You are not in the team, Beryl Jones.'

Ond trwy ragluniaeth, methodd y 'seren' o Aberteifi â chystadlu a gofynnwyd i Beryl lenwi ei lle. Roedd hithau'n nofio fel pysgodyn ac yn wir, enillodd bob cystadleuaeth yn y dulliau rhydd, broga, pilipala a'r ras hir. Unig sylw Beryl oedd,

'Country bumpkins, myn yffarn i!'

★

GARDD BERYL AR Y TRAETH YN LLANGRANNOG

Yma'n haen, gwymon Ionawr – o ardd aig
mor wyrdd iach â'i bersawr;
yn aeddfed, ymborth buddfawr –
Beryl yw – 'da'r bara lawr.

JON MEIRION

Hela Calennig (o gof Isfoel).
Stori gan Tom Jones, trydydd plentyn teulu'r Cilie.

Roedd hela calennig yn arfer poblogaidd ar ddiwedd y bedwaredd ganrif ar bymtheg, a Twm heb eithriad a gâi'r darn chwe cheiniog arian a roddai cymydog – Mrs Rees, Celyn Parc – i'r canwr cyntaf, wrth y drws ar fore Calan.

Un nos cyn y Calan penderfynodd ei frodyr – Fred,

John ac Isfoel – guddio ei drowsus er mwyn iddynt achub y blaen arno. Ond wrth iddynt gerdded yn frysiog a hyderus tuag at dŷ Mrs Rees, pwy ddaeth i gyfarfod â'r tri trwy'r eira ond Twm – a'r pisyn chwech yn ei ddwrn a dim pilyn am ei ben ôl a'i goesau.

ISFOEL

Storïau am David (Dafydd Isfoel), pedwerydd plentyn Jeremiah a Mary Jones.

I unrhyw un dros ddeg ar hugain oed mae dal clefyd y doben (y mwmps neu'r dwymyn) yn gallu bod yn boenus iawn ac, yn ei sgil, yn berygl pellach i iechyd. Ond ar un o'i ymweliadau prin â'n cartref, oherwydd natur crwydro masnachol y llongau, dioddefodd y Capten Jac Alun o'r clefyd. Roedd yn ddeunaw stôn a mwy ar y pryd ac wedi dioddef o'r ffliw cyn i'r chwarennau (*glands*) chwyddo fel pledrau bob ochr i'w wddf. Nid oedd wedi siafo ers mis a rhagor ac edrychai fel morlo tew ar un o draethau'r fro. Roedd

Dafydd Isfoel – ffermwr, melinydd, gof a bardd. Cyflwynwyd Isfoel i'r byd nid trwy ddwylaw a chymorth bydwraig ond dan fendith Duwies yr Awen, gan roi iddo synhwyrau sensitif, dweud deallus a gweledigaeth.

yn griddfan a thuchan yn ei wely. Cyngor y meddyg lleol oedd yfed digon o hylif a gadael i natur gymryd ei chwrs – a gwella o'r doben!

Ond daeth Isfoel i glywed am y claf afreolus, anodd i'w drin, a chyn hir talodd ymweliad â'n cartref. Rhan gyntaf meddyginiaeth Isfoel oedd rhwbio saim gŵydd dros wddf fy nhad cyn clymu hen hosan dyllog dros yr eli gwyrthiol. Yna clymodd labed portmanto wrth y cyfan ac englyn o'i waith ei hun wedi ei ysgrifennu arno mewn llythrennau breision i bawb ei weld. Dyna beth oedd golygfa echrydus!

Yma'n cyfarth a charthu, – anadl rhwym
  dolur rhydd a phoeri;
catarrh yn cau'r cwteri –
mewial cath a dim hwyl ci.

Digon yw cofnodi iddo wella'n fuan o feddyginiaeth Isfoel.

SIMON BARTHOLOMEW A DAFYDD ISFOEL

Roedd Jon yn bresennol ar y noson.

Yn Awst 1966 darlledwyd rhaglen deledu fyw o sgubor y Cilie. Ifor Rees oedd yn cynhyrchu. Hon oedd y rhaglen deledu Gymraeg gyntaf i'w gosod ar dâp fideo gan y BBC. Rhaid oedd darlledu ar ôl deg o'r gloch yr hwyr gan fod yr unig offer yn Llundain.

Yn ystod y rihyrsal ar gyfer y rhaglen fyw roedd S. B. wedi gollwng y frawddeg ganlynol:

'Ges i well gwobr na chi, bois, yn Steddfod Rhydlewis! Enilles i wraig yno!'

Ond wedi cadw'n dawel yn ystod y prynhawn, roedd ei frawd Isfoel wedi cadw ei ateb ergydiol yn ôl tan y rhaglen fyw.

'Doedd neb arall yn cystadlu, gwlei!'

Stori gan Beryl Jones. Byddai Isfoel yn cyfansoddi darnau yn arbennig iddi.

Y FERCH O EGLWYSWRW

Mi gefais sbort rhyw fore
Wrth eiste ger y Ship,
Gweld merch o Eglwyswrw
Yn matryd i gael dip.
Ei dillad sidan gwynion
Adawodd ar y graig,
A'i chroen mor ddu â huddug
Mi neidiodd mewn i'r aig,

Ond dyna waedd a gwichal
Ac aros ar ei fin,
Ac ambell don yn codi
Yn agos i'w phen-glin.
Ac yno bu am ysbaid
Heb symud miwn na mas,
Yn crynu fel y ddeilen
Mewn *bathing costume* glas.

Aeth 'nôl i Eglwyswrw
A'i choesau'n wyn a glân,
Ond o'i phengliniau i fyny,
Yn fowlyd fel o'r bla'n.

A dwedodd wrth ymadael
Mewn llais crynedig, gwan,
Y daw y flwyddyn nesa
I olchi o fan'ny lan.

⋆

Galwodd Sais gyda Beryl a gofyn am gyfeiriad cartref Mr Crompton. Cnociodd ar ei ddrws, ac wedi dod wyneb yn wyneb â gwraig y tŷ gofynnodd,

'I'm looking for Mr Crompton?'

Ac meddai hithau yn hyderus, 'I am him.'

⋆

Cytunodd Dafydd Isfoel a Catherine i gymryd ifaciwî yn ystod yr Ail Ryfel Byd. Roedd haid ohonynt fel defaid mewn lloc ar lwyfan yn Ysgol Pontgarreg. Wedi'r dosbarthu roedd un crwtyn bach diflas ar ôl yng nghefn y llwyfan mewn cot law lwyd, trowsus byr, capan ar ei ben, *gas mask* mewn bocs dros ei ysgwydd a llabed wrth goler ei got. Arno roedd ei enw a'i gyfeiriad:

Richard Frew, East London.

Gofynnodd E. R. Jones, yr ysgolfeistr, i'r gynulleidfa pwy oedd am gymryd gofal o'r ifaciwî diwethaf. Cododd Catherine ei llaw.

'Ewn ni ag e i Gilygorwel.'

Yn y bore dihunodd ei mab, Pwyll ap Dafydd, gyda 'brawd bach' newydd yn cysgu ar ei bwys. Ni fu Dici (Richard) yn hir cyn dysgu'r Gymraeg ac un o'r penillion a ddysgodd Isfoel iddo oedd y bader ganlynol, a adroddai ar ei bengliniau wrth ei wely bob nos:

Rhof fy mhen i lawr i gysgu,
Rhof fy enaid bach i'r Iesu,
Os byddaf farw cyn y bore –
Beth a ddaw o'r holl geffyle?!

Ar ddôl gyfagos gwelai Dici geffylau Dolgou yn pori a phrancio – rhywbeth na welodd erioed o'r blaen.

Dychwelodd Dici i'r East End ar ddiwedd y rhyfel

– yn ‘Gymro’ uniaith. Mae siŵr o fod gwers gyfoes yn y stori uchod!

Stori gan y Capten Jac Alun am Isfoel.

Roedd traeth a phier Ceinewydd yn atyniad poblogaidd, yn enwedig dros fisoedd yr haf, a’r dewis o ferched hardd yn eang i lygaid y Romeos lleol a’r beirdd. Dyma englyn Isfoel ar y pwnc:

Ar y pîr ar fore poeth – y *pin-up*
Annwyl gerdd yn droednoeth;
A swynol yw, os annoeth –
Baglau neis a bogel noeth.

ISFOEL

Mentrodd Saesnes ifanc, bert anfon ei llun at Isfoel wedi iddi gyfarfod ag e pan oedd ar wyliau yng Ngheinewydd. Anfonodd ef yr englyn Saesneg canlynol yn ôl at y ferch:

You are fit in your photo – yes, indeed,
Nice and tidy also;
Sweet as jam, no sham or show –
Ready to marry tomorrow.

Ond wedyn bu rhywun mor ddifeddwl â thynnu sylw’r bardd at yr odlau a honni nad oeddynt yn hollol ddi-fai. Ond roedd ateb Isfoel yn ergydiol fel arfer:

‘Fachgen, dwyt ti ddim yn gallu siarad Saesneg.’

Stori am Isfoel gan Dafydd Jeremiah Williams. Mae 'WELSH NOT' Ysgol Pontgarreg i'w weld yn Sain Ffagan.

Rhyw fore Gwener roedd Isfoel yn cychwyn i'r ysgol pan alwodd ei dad arno,

'Dywed wrth dy fishtir y byddwn yn barod i ddyrnu llafur bore Llun nesaf.'

Pob peth yn iawn ond roedd rhaid dweud y neges yn Saesneg wrth y sgwlyn bach, ac nid oedd Isfoel yn fawr o Sais. Ni wyddai ar glawr daear beth oedd dyrnu yn Saesneg, ond daeth ei gyfaill Jonnie Morgan (mab gwyliwr y glannau a hanner Sais) i'r adwy.

'Beth yw dyrnu yn Sisneg, dywed?' gofynnodd Isfoel.

'Thrash,' meddai yntau, ac yr oedd pethau yn goleuo nawr, a dyma gyfansoddi brawddeg Saesneg i gario'r neges.

Dyma ei law lan yn arwydd fod ganddo neges.

Mae gan Amgueddfa Werin Cymru yn Sain Ffagan ddwy enghraifft o ddarnau pren y Welsh Not. Cyflwynwyd un o 1852 o Ysgol Pontgarreg yn 1925 a'r llall o gapel Penrhiw, Dre-fach Felindre.

'Yes,' meddai'r sgwlyn, 'what do you want, David Jones?'

'Sir, my father will be ready to thrash you on Monday.'

A chafodd ryddhad ac anadl, a Jonnie Morgan yn gwthio ei ben o dan y ddesg. Er mwyn cael eglurhad a manylion, galwodd y meistr ef allan i ystafell arall, a chafodd bob manylyn mewn Cymraeg persain.

Meddai Isfoel, 'Dyma enghraifft i chwi o'r gorthrwm a oedd arnom fel Cymry yn yr oes honno, ceisio lladd y Gymraeg trwy ffyrdd fel y Welsh Not.'

RHAI O GERDDI ISFOEL

DARN ADRODD CYNGERDD Y GOEDEN NADOLIG, CAPEL-Y-WIG, 1916.
(O ddyddiadur Isfoel)

Os daw'r Kaiser i Gwmtydu
Dan y dŵr mewn 'sambarîn',
Caiff ei glymu wrth yr odyn
Megis gafar wrth ei hun.
Caiff fod yno am dair wythnos
Heb ddim bwyd ger odyn galch,
A bydd Ifan, gŵr Dolwylan,
Yn gofalu am y gwalch.

CWMTYDU YN AWST

Ymwelwyr clên mal ieir ar clos – bechgyn
bochgoch a merchetos
groesan draeth heb grys na drôs
a phobun yn *amphibious*.

Y 'SPWTNIC'

Taniodd Krushchev, myn yffach, – ei ergyd
i'r awyrgylch afiach;
'Yn dy fost, gwrando, fustach,
a roist ti fwyd i'r ast fach?'

Y CIOSG

Cer yn slei – mae corn a slot – hylaw'n hwn,
ni wêl neb mohonot;
o'i fewn cei ddweud a fynnot
o'r fan wrth Mari Ann am rot.

Y PECHOD GWREIDDIOL

Rhyw ddydd cymerodd Adda – y losin
na ddylasai fwyta;
ond dwedai ef ac Efa
fod Bramlyn i ddyn yn dda.

Y SÊT FAWR

Glyd aelwyd, gwâl duwiolion, – ac o'r grât
y ceir gwres a moddion;
reilen gref am gorlan gron
a stâl yr apostolion.

MEDDYG

Ei botel gadwodd Beti, – ei gyngor
rhag angau gadd Mari,
Ei weld ef eli Dafi –
Meddwl oedd trwbwl y tri.

'Y CORN GWLAD'

Y 'CORN GWLAD' fel sgrad a'i sgrech – a Dyfnallt
ofnus ar y gromlech;
ei oerlef aeth hyd Harlech
trwy yr âr, fel taro rhech.

Dyrchafwyd Dafydd Isfoel i'r Wisg Wen er Anrhydedd yng Ngorsedd Beirdd Ynys Prydain yn Eisteddfod Genedlaethol Pwllheli 1955.

Y DEBLIWARIAID

(W. R. Evans, W. R. Jones, W. R. Nicholas)

Debliw 'R' yn y Barri – dwbwl hwn,
Debliw 'R' glan Teifi;
W. R. N. Porthcawl – 'na dri
O farwniaid y Frenni.

Stori am Isfoel. Mae Jon Meirion yn cofio gweld yr arwyddion.

Bu Isfoel yn byw yn y Cilie, Felin Huw, Cilygorwel ac mewn byngalo o'r enw Derwydd. Safai Cilygorwel (o'r hen enw Cwm Ceiliog) tu fewn i dro pedol y tu allan i bentref Pontgarreg.

Yn ystod tymhorau prysur yr hafau cynyddai maint y traffig. Bu amryw o ddamweiniau ar dro Cilygorwel. Ysgrifennodd Isfoel at Gyngor Sir Aberteifi i ofyn am arwydd ffordd arbennig i rybuddio'r modurwyr estron. Gwrthodwyd y cais. Aeth Isfoel ati i greu arwyddion ei hun:

O gyfeiriad Pontgarreg roedd arwydd o styllod a llythrennau breision mewn paent gwyn – TRO PERYGLUS.

O gyfeiriad Capel-y-wig mewn cynghanedd sain drawiadol roedd arwydd debyg – Y CORNEL TAWEL TYWYLL.

Ni fu damwain ffordd yno byth wedyn oherwydd arafai'r twristiaid i geisio dadseiffro'r cynnwys!

Isfoel a'r Pwnc.
Stori gan F. M. Jones.

Roedd Dafydd Isfoel yn hyddysg iawn yn yr Ysgrythurau, ac yn athro ysgol Sul penigamp. Wrth baratoi'r plant crynion ar gyfer y Gymanfa Bwnc dysgai benillion o'i waith ei hun iddynt.

A'r Parchedig Lewis Evans yn holi ar hanes y proffwyd Elias yn Nyffryn Cerith, a sut y daeth y cigfrain i'w gynnal yn yr anialwch pell, gofynnodd yr holwr i'r plant o ysgol Sul Capel-y-wig sut oedd Elias wedi llwyddo i fyw yn yr unigedd. Atebodd Simon Bartholomew, brawd bach Isfoel,

'Bara a chig y bore,
Bara a chig prynhawn,
Ac yfodd ddŵr o'r afon
Nes bod ei fola'n llawn.'

Ffrwydrodd y gynulleidfa mewn chwerthin iach.

Stori gan Jac Alun am Isfoel.

Roedd amryw o ddynion enwog ar y pryd yn ymweld â'r Cilie, fel Wil Ifan, Hannen Swaffer (o Fleet Street) a Lewis Tymbl.

Un diwrnod, roedd Isfoel ar y clos yn paratoi'r ceffylau i fynd lan i'r Foel i lyfnu. Gydag ef roedd cymydog o'r enw Wiliam Lloyd – cyn-felinydd a gweithiwr ffordd, a chymwynaswr ffyddlon i'r teulu.

'Wiliam, dere 'ma, wyt ti'n nabod y dyn 'ma? D. J. Williams, Abergwaun yw e.'

'Na, sai'n nabod e – ond mae llond tŷ o'i gatalogs e gyda ni gatre!'

Stori am S. B. ac Isfoel gan y Parch. F. M. Jones yng Nghymanfa Ganu Capel-y-wig.

Pregeth gyntaf Simon Bartholomew Jones yng Nghapel-y-wig oedd hi, ac meddai'r cyhoeddwr,

'Croeso cynnes i Simon Jones, y Cilie, a fydd yn cyflwyno ei bregeth gyntaf cyn mynd i Goleg Bala Bangor i astudio ar gyfer mynd i'r weinidogaeth.'

Ac ar ddiwedd y bregeth estynnodd longyfarchiadau a dymuniadau da i'r S. B. ieuanc. Ond yna trodd at frawd S. B., sef Dafydd Isfoel, a oedd yn eistedd yng nghorau'r teulu.

'Beth y'ch chi, Dafydd, yn feddwl am bregeth gyntaf eich brawd, Simon?'

'Beth wy'n feddwl? Bachan, fi nath hi!'

RHAGOR O ENGLYNION ISFOEL

Y PARCHEDIG WIL IFAN

Bardd cadeiriol yn moli – talentau
 a helyntion digri;
tal a thad hael a theidi.
Ein Shakespeare mewn coler ci.

ANNIBENDOD

Y wraig ronc mas yn cloncan – hanner dydd,
  a'r da yn yr ydlan;
 ieir ar to, whilber ar tân,
 a Bob yn meindio'r baban.

Y SGIW

Sêt aelwyd gynnes y teulu – a garw
  sedd gwerin hen Gymry;
 croeso – fainc yr oes a fu,
 rhagorol i bâr garu.

LLYGODEN

Lleddais un a dyllodd sach – ond daeth
  eto un gyfrwysach:
 mae hon off – a myn yffach,
 ei dala byth, y diawl bach!

ETHOLIAD

Tori rhonc yn treio ras – â'i frodyr
  rhyddfrydig ac eirias;
 canfod, er hwyliau'r canfas,
 twp i mewn, a'r tip-top mas.

Y BOTWM

Gafael a thwll gogyfer – rig-owt Wil
neu ar got las *copper*;
fel gwas mae'n ddihafal gêr
i gau drysau dy drowser.

Cofnod rhamantus y tylwyth.

Wedi i Isfoel ennill y wobr am gyfansoddi englyn yn Eisteddfod Rhydlewis ei sylwadau oedd,

'Beirniad da yn Rhydlewis neithiwr! Gwbod ei stwff. Roedd e wedi profi ei hun gyntaf yn y Genedlaethol! Gobeithio y caiff wahoddiad eto!'

Y flwyddyn ganlynol, ac Isfoel yn cystadlu eto, ni ddaeth yn y tri cyntaf. Ei sylwadau,

'Pwy oedd yr hen ffrwcsyn bach 'na'n beirniadu yn Rhydlewis neithiwr?'

Trefniadau angladd Isfoel o'i ddyddiadur, gyda sylwadau ychwanegol gan Jon Meirion.

Mawrth 4, 1962

Dafydd Isfoel 1881–19__

Cilygorwel

Hefyd

Catherine Jones 1898–19__

(Cedwir lle i'r englyn isod ar y garreg)

LLWCH

Yn y llwch gynt y llechais – oddi arno
am ddiwrnod y rhodiais;
'Llwch i'r llwch,' – clybûm y llais
i'w chwalu, a dychwelais.

Enillodd Isfoel ar yr englyn uchod yn Eisteddfod Llanuwchlyn 1957, a Gwyndaf oedd yn beirniadu. Darllenodd yr englyn yn odidog ac yn ôl Bob Lloyd (Llwyd o'r Bryn), a oedd erbyn hynny yn gyfeillgar ag Isfoel, hwn oedd un o'r englynion mwyaf ysgytwol iddo ei glywed erioed.

Roedd rhestr o un ar ddeg o weinidogion, chwech o arch-gludwyr, a chwech o wragedd y Wig i weini wrth y byrddau yn y festri. Roedd trefnu'r blodau yn nwylo ei wraig a'i theulu.

Perthnasau i gwrdd yng Nghapel-y-wig am 2.30 y.p. ar y dyddiad.

Ond bu farw y rhan fwyaf o'r enwau a restrwyd cyn i Isfoel gael ei gymryd oddi wrthym. Roedd rhestr hir o'r enwau wedi eu croesi allan o dudalennau'r dyddiadur.

Roedd Isfoel wedi byw yn hwy na'r disgwyl! Ond erys un enw ar waelod y rhestr:

Wynne Lloyd, hebryngwr, i wneud yr arch – os bydd e byw!!

Hefyd roedd gan Isfoel restr o ofyniadau ynglŷn â phle roedd i'w gladdu. Claddwyd wyth o'i frodyr a'i chwiorydd yng ngwaelod mynwent Macpelah,

Capel-y-wig. Ond roedd y darn hwnnw a nodwyd yn wlyb iawn, yn enwedig yn y gaeaf.

Cofnododd Isfoel:

Rwyf am fy nghladdu lan ar frest y llethr yn y fynwent.
Rwyf am fy nhraed yn sych pan rwy'n croesi i'r ochr draw!

JOHN TYDU

Stori John Tydu, pumed plentyn Jeremiah a Mary Jones. Ymfudodd i Ganada. Mae cwpled o'i waith ar Fwa y Siambr Goffa yn y Senedd yn Ottawa.

Sylwadau Tydu mewn llythyr at ei frawd, Fred Jones, ac yntau wedi cystadlu!

'Next, Baled ap Fychan.
Baled wael ar andras yw hon enillodd – gwael iawn!

Mor stiff â bwlyn cart heb ei resio am chwe mis. Damo, be sy ar y taclau hyn? Pam na ddywedant stori arbennig yn naturiol fel dau ddyn yn siarad? Fe redais i faled off un noswaith yma ac anfonais hi i mewn hefyd... Mae fy maled i ganwaith yn well na'r faled fuddugol... Nid oes llawer o ots, myn diawl i, canys crooks *yw'r beirniaid pob diawl ohonynt, ac ni cheir cymaint ag wy dryw bach o ddiolch am bethau anfonir i fewn er bod rheiny weithiau yn 'o dda'.*

ANN
Stori am Ann, chweched plentyn Jeremiah, gan Ann Jane, ail blentyn Tom ac Annie Jones.

Wedi noswaith o eisteddfota doedd y bois ddim yn foregodwyr da. Tacteg Mary Hannah oedd taro'r nenfwd dan le cysgu'r bechgyn ar y storws yn rymus â choes brws nes bod y clocs yn dawnsio. Yna gwaeddai ar waelod y sta'r sy'n mynd i'r storws. Ond dim cyffro!

Ond roedd gan Anti Ann dacteg arall, un effeithiol iawn.

Gwisgai glocs Jeremiah Jones, ei thad, a oedd dair gwaith yn rhy fawr iddi, a cherddai dros y popls ar y cwrt o flaen y tŷ. Cyn pen dim rhuthrai'r bois i lawr y grisiau fel cwningod.

ESTHER

Stori am Esther, seithfed plentyn Jeremiah a Mary Jones, sef mam-gu Jon Meirion.

Roedd Esther yn feddylwraig ddofn. Yn aml rhoddai'r argraff ei bod yn cyfansoddi neu ymhell ym myd dychymyg a myfyr. Daeth ei merch, Myfanwy, adre o Lundain, lle roedd yn nyrs, ond ar ôl cyrraedd Castle Hall, Llangrannog, ni fentrodd i fyny i'r llofft gan fod lleisiau i'w clywed o'r oruwchystafell. Arhosodd bron i dri chwarter awr, yna mentrodd i fyny'r grisiau, a dyna lle roedd ei mam, yn siarad â hi ei hunan ac yn adrodd rhigymau, penillion ac adnodau ac efallai'n llunio rhai ei hunan.

MARY

Stori am Mary Hannah, nawfed plentyn Jeremiah a Mary Jones, gan F. M. Jones. Dychwelodd hithau i'r Cilie ar ôl marwolaeth ei mam.

Roedd Mary Hannah yn byw yn 1 Mason Square, Ceinewydd, ar ôl iddi symud allan o'r Cilie. Bu'n edrych ar ôl Lisi, gwraig Alun, am flynyddoedd.

Tŷ bychan ar ben y teras oedd ei chartref. Wedi cnocio ar y drws, fe'i hagorai ryw fodfedd neu ddwy gyda'r ffras,

'Ma ti'n dod 'te?'

Agorai'r drws ychydig yn fwy a phwyntio uwchben at ffrâm groes y drws. Yno roedd hwyaden liwgar wedi ei hoelio i'r pren, a'r geiriau o rybudd, yn enwedig i rai tal,

'PLEASE DUCK!'

Enw'r tŷ heddiw yw LLAREGGUB.

Stori gan y Parch. Meirion Evans.

Bu Mary Hannah yn athrawes gynradd ym Mhontardawe, Maesteg a Felindre, ger Abertawe. Un noson aeth i eisteddfod capel y Bedyddwyr, Gerasim, Cwmgerdinen, sydd ar y ffordd sy'n arwain o Felindre dros Fynydd Pysgodlyn i Rydaman.

Yn ystod y noson, trawodd rhywun ei ben yn erbyn lamp baraffîn a gwympodd yn garlibwns, a chydiodd y fflam yn y mat coco ar yr ale. Diffoddwyd y tân mewn eiliadau ond gwaeddodd un wàg a welodd ei gyfle,

'TÂN! TÂN! Mae'r lle ar dân!'

Cododd hyn fraw a dychryn a thagwyd grisiau'r oriel gan bobl yn ceisio ffoi. Ond rhoddodd yr un wàg ei droed drwy'r ffenest ar ben y grisiau gan annog Mary Hannah i fynd drwyddi. Roedd hithau'n wraig o gorffolaeth nid ansylweddol ac fe aeth yn sownd yn y ffrâm.

Oddi tan y ffenest roedd William Thomas (Wncwl William i'r Parchedig Meirion Evans) ac anogodd Mary Hannah i neidio i'w freichiau yn y 'dyfnder islaw'.

'Neidwch, Miss Jones… peidwch bod ofon… fe ddala i chi!'

Ond wrth iddi geisio ymryddhau, plannodd y wàg ei droed ym mhen ôl yr athrawes i'w helpu ar ei thaith. Glaniodd y corpws helaeth yn glwt ar ben William ym mynwent Gerasim – a'i fflato fel pancosen. Am rai munudau bu ymrafael rhwng y meini cyn i'r ddau godi ymhlith y blodau yn ddianaf!

Storïau am y Parch. Simon Bartholomew Jones (S. B.), unfed plentyn ar ddeg Jeremiah a Mary Jones.

Gofynnodd rhywun iddo unwaith, 'Sut y'ch chi'n cyfiawnhau eich hunan fel gweinidog yr Efengyl a'ch brawd yn cadw tafarn y Pentre Arms, yn Llangrannog?'

'Wel, mi ddweda i wrthych. Tra bydd 'na dafarndai yng Nghymru, 'run man i chi ga'l y bobl orau i edrych ar eu hôl nhw!'

★

Roedd rhai o aelodau Peniel, ger Caerfyrddin, yn pryderu y byddai S. B. yn symud yn fuan, ar ôl gwario llawer o arian ar y Mans.

'Gobeithio y byddwch yn aros gyda ni nawr wedi'r holl wario!'

A'r ateb a roddodd S. B.,

'Rwy'n gwbod beth wna i. Pan symuda i rywbryd mi adawa i'r tŷ ar ôl i chi!'

★

Ciliodd y Prifardd S. B. i'r Babell Lên mewn un Eisteddfod Genedlaethol. Roedd y lle'n wag ond sylwodd ar un gŵr yn un o'r seddau blaen.

'Ydych chi'n fardd?' gofynnodd y dieithryn i S. B.

'Na, go brin,' ebe S. B. yn wylaidd. 'Y'ch chi?'

'Ydw, debyg iawn.'

'Beth sydd gennych ar y gweill?' gofynnodd S. B.

'Rwy'n llunio englyn i gystadleuaeth yr englyn byrfyfyr.'

'Felly, a sut mae e'n dod?'

Ac yna'r ateb syfrdanol gan y dieithryn, 'Rhagorol, mae gen i naw llinell yn barod.'

Dyma Simon Bartholomew Jones yn 16 oed. Aeth ymlaen i ennill Coron Eisteddfod Genedlaethol Wrecsam 1933 ('Rownd yr Horn') a Chadair Eisteddfod Genedlaethol Abergwaun 1938 ('Tyddewi').

Roedd y Parch. S. B. Jones, gweinidog Peniel a Bwlchycorn, yn gynhyrchydd drama, ac yn awdur adroddiadau digri i'r enwog D. J. Lloyd. Dyma un ohonynt.

COLLI'R CWRCYN

Un du wedd e, du fel y blac,
Ac yn dod miwn bob amser trwy ddrws y bac.
Wedd e'n gwmni mowr i ni ac i'r cathe,
A byse raid mynd ymhell cyn gweld 'i fath e.
Dou lygad melyn, pan o'n nhw ar agor,
Fel blode manal wrth dalcen y sgubor.
Blew slic fel melfed ar hyd 'i gefen,
A byse' 'i drâd e i gyd mewn trefen.
Wedd twtsh o Bersian o gwmpas 'i gwt,
Talcen talentog a thrwyn bach pwt.
A wedd hi'n werth i chi glŵed e'n canu grwndi
Ambell nos Sul ar y sgiw gyda Mari.
Rwy'n gweud y pethe hyn er mwyn ichi wbod
Ma fe yw e, ar ôl ichi ei nabod.
Ac os na ddaw e atoch chi wrth alw 'Nero',
Rhywun arall fydd hwnnw, gallwch chi fentro.

Rwy'n cofio'r nosweth y dath e mewn basged
Yn y bỳs o ffarm 'rochor ucha i Lambed;
A we swllt ddim gormod i'r dreifar am 'i waith
Yn carco'r gath fach ar 'i siwrne faith.
Am un fenyw ofynson ni, ond fydde dim cath
Am flwyddyn arall – a chwrci ddath.

Fe ddatodes y ffedog a chodi'r clawr
A fe jwmpodd mas fan'ny, rwy'n 'i weld e nawr,
Un bach, bach, boitu seis 'y nwrn,
Ac yn edrych ar 'i lun yn bwlyn y ffwrn.
Wedd blew 'i gefen e ar wrych pan ddath Moss,
A phoerodd i'w ligad e – i ddweud pwy o'dd y bòs.
A'r hen gi, whare teg, yn gall fel arfer,
Yn mynd 'nôl tan y ford i orffen 'i swper.
Ond cyn nos drannoth wedd e fel un ohanon ni,
Felse fe'n meddwl dim byd amdanon ni.
A phethe fel hyn sy'n 'i gneud hi'n gas
Wrth feddwl 'i fod e heno falle'n cysgu mas.

Mae'n ddirgelwch mowr i ni 'co i gyd
Pam 'r ath e o 'co, – o gistal byd;
Neb yn gas iddo, a digon o ligod
I blesio unrhyw gwrci, a 'mbach o faldod.
Wedd e'n ca'l 'i fwyd mewn soser wen,
Neu fynd i'r shosban i gyd dros 'i ben.
Gallwch chi 'nghredu i na chas e ddim cam,
Yn wir, wedd e'n ca'l popeth fel o'dd e am.
Rwy'n meddwl weithe fod hynny yn fai,
A 'na pam ma fe heno falle'n gorfod byw ar lai.

Rwy'n credu'n sownd 'i fod e'n fyw 'i wala
Achos o'dd e'n garcus iawn wrth fynd mas i hela:
Watsio'r traffig bob amser cyn croesi
Ac yn cadw'i ochor pan o'dd hi'n dechre nosi.
Ac os bydde'r motors â'u lampe yn dipo,

Wedd ynte hefyd, whare teg, yn winco.
Un fel'na o'dd e wrth natur ariôd,
Un yw â *manners* yr Highway Code.
Byth yn sgwlcan y llestri a'r pedyll
Na dringo i ben ford fel y cathe erill.
Falle y gwelsech chi fe amser godro
Yn lapo'i wefuse wrth bo' chi'n paso,
Ond arwydd o'dd hynny fod e wedi dysgu moes
Gyda'i fam i molchi ym more oes.
Achos wedd 'i gymeriad e'r un fath â'i got –
I gyd yr un lliw, heb ddim un sbot.

Ond gofid yw lle ma fe heno,
A ninne i gyd yn disgwyl amdano.
Ond lle bynnag ma fe, rwy'n siŵr mai Nero
Yw ffafret y cathe'n yr ardal honno.
Peth rifedd na cheson ni arwydd ne ddwy
'I fod e'n bwriadu gadel y plwy,
Wedd e'n gwmws fel arfer oboutu'r clos,
Yn cysgu a mystyn o fore hyd nos;
Yr unig wahanieth a sylwodd Bet
O'dd 'i fod e ryw fore ar ben y post iet
Yn edrych yn syn draw tua'r dwyren
A rhoi un wawch felse fe'n treio llefen.
Ond dyna'r cwbwl, a does neb yn glir
Pa bryd y collwd e, a gweud y gwir.
Yr unig beth weda i, sy mor wir â'r gole,
'I bod hi'n wag iawn yn tŷ ni ar 'i ôl e.

Os daw e'n ôl, fe geith groeso brenin –
Ffish a chwstard a bara menyn;
A beth well wy o fecso paham wedd e'n gadel?
Ma pethe fel'na yn rhy ddwfwn a dirgel.
Ar ôl ein holl addysg mewn ysgol a choleg,
Ein holl athronieth a'n holl seicoleg,
Ma raid inni gyfadde yn dawel fach wedyn
Na wyddon ni fowr am ddyfndere cwrcyn.
A'r ffordd rydw i yn cysuro'r cathe
Yw gweud daw e'n ôl – am yr un rheswm ag 'r ath e!

Fe'i hadroddwyd yn y Babell Lên yn Eisteddfod Genedlaethol Aberteifi 1976 gan D. J. Lloyd, sydd yn y llun gyda Jac Alun.

Un o bregethau'r Parch. Simon Bartholomew Jones, gweinidog Peniel a Bwlchycorn.
Stori gan T. Llew Jones.

Ar Sul arbennig dewisodd S. B. destun ar 'Gariad' ar gyfer cynulleidfa niferus capel Bwlchycorn. Ymhelaethodd ar y testun gan gyfeirio at wahanol ystyron a chysylltiadau gyda straeon amrywiol i liwio'r bregeth. Hefyd o'i flaen roedd côr mawr cyfan o ddiaconiaid. Adwaenai S. B. hwy yn dda a gwyddai mai hen lanciau oedd llawer ohonynt. Wedi codi'i lais a chyfeirio at gariad ysbrydol a chariad dynol rhwng dyn a benyw, trodd ei lygaid a'i law at y diaconiaid:

'A beth y'ch chwi yn ei wybod am gariad?'

Aeth ton o chwerthin trwy'r gynulleidfa.

Wedi'r oedfa a thu hwnt i'r lobi a'r cyntedd, gofynnodd un o'r aelodau i D. J. Lloyd,

'Beth oeddech chi'n feddwl am sylwadau'r gweinidog wrth y diaconiaid?'

Ac meddai D. J., â'i hanner gwên ond gydag amseriad da, fel petai yng nghanol adroddiad mewn steddfod,

'Wen i'n gwbod mwy na wedd e'n feddwl!'

S. B.
Stori gan Ifor Owen Evans.

Cyflwynodd S. B. y stori isod pan oedd yn llywyddu Cyrddau Mawr yng nghapel Peniel:

'Aethom allan i gael picnic mewn llecyn tawel yn y wlad – fy ngwraig, ein morwyn a minnau.

Gosodwyd y lliain gwyn ar y borfa ac arno lestri addas, te mewn thermos a danteithion.

Ar y chwith, roedd fy ngwraig yn eistedd ac yn sydyn fe ganodd y gwcw yn y gwrych gerllaw. Yna, ymhen ychydig, canodd cwcw arall y tu ôl i'r forwyn a oedd yn eistedd ar y ddehau.

Dyna'r tro cyntaf i mi gael picnic rhwng dwy gwcw!'

John Brown.
Stori gan S. B.

Roedd Moss, y ci defaid mawr, a John Brown, y crwydryn, yn gyfeillion mawr, a'r cŵn i gyd yn ffanio'u cynffonnau o'i flaen pryd bynnag y deuai i'r clos. Ond Moss yn unig a gâi'r anrhydedd o gydgysgu ag ef yn ei wely.

Aem i'r sgubor i weld sut oedd pethau cyn noswylio, a hyfryd o ddifyr oedd gweld John a Moss yn cydorwedd mor daclus ac yn cysgu'n drwm, a'r ddau mor debyg i'w gilydd o ran lliw a maintioli. Chwarae teg iddo, fe osodai'r sachau a'r cwiltiau wedi eu plygu yn daclus ar ben y mashîn dyrnu bob bore.

Ac yno, a Moss iddo'n gwmni,
Y cysgai'r hen grwydryn llwm;
Y lluwch yn toi Banc Llywelyn
A'r deri yn feddw yn y cwm.

Stori gan Dafydd Rhagfyr, mab Fred Jones.
Wrth deithio i lawr o Garno i Dal-y-bont rhoddodd S. B. a'i wraig Annie wahoddiad i ffawdheglwr i gyd-deithio â hwy i Aberystwyth. Ond ar y ffordd gorfodwyd i'r car aros pan sylwodd heddgeidwad nad oedd un o'r goleuadau coch yn gweithio.

Aeth S. B. a'r teithiwr allan at yr heddgeidwad wrth gefn y modur. Nododd eu manylion yn ei lyfryn poced, ac aeth S. B. ymlaen â'i ddau deithiwr. Roedd yn ofidus iawn ar y ffordd y byddai dirwy ac efallai ymddangosiad mewn llys yn dilyn. Ond wedi gollwng y gŵr ifanc, meddai hwnnw drwy ffenest y modur,

'Sdim isie i chi fecso. Ddaw dim o'r mater hwn!'

A chyda hynny o eiriau, trosglwyddodd lyfryn poced yr heddgeidwad i S. B. a diflannodd mor sydyn ag y daeth!

Stori gan Ewyndon Jones, mab Tom Jones.
Ar gae'r Eisteddfod Genedlaethol, daeth un dieithryn ymlaen gan ofyn i yrrwr S. B.,

'Mr Tom Jones?'

'Ie.'

'Y'ch chi'n frawd i S. B. Jones?'

'Nadw. Fe sy'n frawd i fi, a ddweda i wrthoch chi pam. Un waith rwy'n gallu gwerthu glased o gwrw. Mae e'n pregethu yr un bregeth sawl gwaith!'

Golchi'r Plant a Chyffur o'r Môr – Traeth Cwmtydu.
Stori gan Isfoel ac Esther.

Os oedd rhai o'r plant am fynd i nofio neu ymolchi, rhaid oedd gwneud hynny cyn bwyd rhag ofn cael cramp. Byddai'r tad yn golchi ei blant ei hun.

Mae cof gennyf am fy nhad yn ein golchi pan oeddem yn ieuanc. Aethom ato un ar ôl y llall; gafaelai yn ein breichiau gan ein gosod o dan y dŵr. Rwy'n clywed y dŵr yn fy nghlustiau o hyd er pan ddaliai fi lawr. Gwisgai bais bob amser pan ymolchai.

Arferiad arall oedd ein gorfodi i yfed peint o ddŵr y môr. Daethai â llestr peint o dafarn Glanmorllyn. Aethai rhai ohonom trwy yr *acid test* (ych a fi!) yn well na'r lleill ond nid oedd dewis, rhaid oedd ei yfed! Cyffur rhag llynger efallai, gan na chefais y rheiny erioed!

Y Prawf Gyrru.
Cofnodir yr hanes yng nghyfrol Isfoel, *Hen Ŷd y Wlad*. Dysgodd Jon Meirion yrru yn yr un modur, a llwyddo yn y prawf.

Roedd Jac Alun bron yn ddeugain oed pan benderfynodd ddysgu gyrru. Ei athro oedd ei ewythr, sef Dafydd

Isfoel o Gilygorwel a'r Cilie. Dwedai fod Jac Alun yn gyrru fel petai ar gefnfor yr Atlantic ac yn anwybyddu llinellau gwyn a rheolau'r ffordd fawr.

Daeth Illtyd Elias o hyd i fodur iddo – Morris 14 mawr a dwy lamp fel gwdihŵ a *running boards* ar ei hyd. Cyn-fodur gwragedd Plas Gogerddan!

Cafwyd dyddiad y prawf ac aeth Isfoel a 'Stirling Moss' i fyny ar yr heol gefn o Plwmp. Ger Post Bach daeth modur arall yn sydyn o Synod Inn a chollodd y gyrrwr gontrol ar y Morris ac aeth i ben y clawdd a'i ddymchwel. Ac yntau'n ddeunaw stôn disgynnodd ar ben Isfoel a'i wasgu'n fflat fel pancosen.

Meddai hwnnw, 'Ni allwn symud oherwydd safasai Samson arnaf!'

Ond llwyddodd Isfoel i ddianc trwy ffenest y drws. Erbyn hyn, daeth bws y Western Welsh a'r lorri laeth i stop, a llu o foduron a'u gyrwyr diamynedd!

Meddai un, 'Ydych chi'n iawn?'

'O ydw, ydw.'

'Beth am eich cyfaill?'

Roedd Jac Alun wedi ceisio dod allan trwy'r ffenest ond roedd fel morlo tew ac wedi mynd yn sownd yn y ffenest – a'i draed yn hongian allan.

'Arhoswch chi nawr!' meddai Isfoel. 'Mae'n ddydd Llun heddi, bydd yr angladd siŵr o fod ar ddydd Gwener.'

Cafwyd cymorth dwsin a rhagor o deithwyr y bws i uniawni corpws y Morris 14. Taniodd y peiriant ond roedd y *mudguard* blaen yn chwifio yn y gwynt fel clust hwch, a'i bart blaen yn blet i gyd.

Aeth y ddau â'r Morris ymlaen i Gors-goch i weld y gof a rhoddodd hwnnw res o rifets yn y *mudguard*. Penderfynodd arolygwr y prawf ohirio'r prawf am bythefnos.

A wir i chi, ymhen yr amser gohiriedig, llwyddodd yn y prawf yn Llambed a'i ollwng yn rhydd i ddychwelyd i gefnforoedd y byd – lle roedd digon o le iddo!!!

LLEFYDD PELL

Mont Blanc to Casablanca – New Orleans,
Sierra Leone, Tampa;
Fiji, Moji, Panama,
Tin Sin, Darwin, Madeira.

Ilo Ilos, Honolulu, – Beirut,
Bahrein, Wooloomooloo,
Durban, Oran, Timaru,
Adis Abab and Cebu.

JAC ALUN

O.N. Roedd yr englynion uchod wedi eu hysgrifennu ar glawr ei fag llaw lledr. Ar ei basbort gwelid: Man geni – Cilie, Llandysiliogogo. Creodd hyn lawer o dalent wrth y tollau.

Roedd gan y Siapaneaid yn harbwr Yokohama

ddiddordeb mawr. Cynhaliwyd y sgwrs mewn Saesneg bratiog:

'Ah! Captain, you come flom vely intelesting prace. How you say?'

'Cilie, Llandysiliogogo!'

'Ah! Captain, you come flom Gogo. Whele Gogo?'

'Gogo is in Wales, Cymru.'

'Whele Wares?'

'Wales is in Britain.'

'Gogo not in Japanese atras.'

'But Gogo is in Gogo atlas.'

'No Gogo atras in Japan. You take passport and now go to Gogo. Sayonara.'

– gan ymgrymu'n ddefodol gwrtais, fel arfer.

GEORGE

Storïau am Siors (Evan George), degfed plentyn Jeremiah a Mary Jones. Roedd yn amaethwr a bardd gwlad; trigai yn Gaerwen gyda Hettie, ei briod, a'u mab Tydfor.

Stori gan Elfan Jones.

Eisteddai Siors yn yr hwyr o flaen tân mawr yn y gegin fach gan losgi ei glocs yn aml wrth ymgolli yn ei ddarllen a bwyta pantri Mary Hannah, ei chwaer, i'r gwaelodion. Byddai hefyd yn bwyta'r ffrwythau a'r cacennau i gyd cyn y brechdanau pan ddôi'r morynion â bwyd i'r caeau.

Wrth fwyta basned o gawl amser cinio unwaith, tynnodd bot jam a gawsai yn anrheg gan rywun a'i fwyta gyda'r cawl. Cofir amdano hefyd yn cymysgu ei bwdin semolina gyda'r tatws a'r grefi, ei brif gwrs.

'Bachan, 'run man i ti enjoio bwyd pan ti'n galler, gwlei.'

ALUN

Storïau am Alun Jeremiah, cyw melyn ola Jeremiah a Mary Jones.

Cyfweliad gydag Alun a T. Llew Jones.

Bu Alun yn byw ac yn amaethu'r Cilie gydol ei oes. Byddai'n mwynhau ymweld â'r Eisteddfod Genedlaethol bob blwyddyn a châi hwyl anghyffredin wrth grwydro'r Maes a chwrdd â chymeriadau lliwgar y cyfnod – Llwyd o'r Bryn, Bob Owen, Crwys a Wil Ifan ac eraill. Byddent i gyd yn ei nabod ac yn falch o'i weld.

Un tro cyfarfu T. Llew ac yntau â'r Prifardd a'r cyn-Archdderwydd Crwys ar y Maes. Ac meddai Crwys mewn llais uchel a llawn brwdfrydedd,

'Wel, dyma'r Llew wedi cyrraedd…' ac yna gan droi at Alun, '… a'r teiger!'

Ar achlysur arall cyfarfu Alun a T. Llew ag Ifor Rees ar Faes yr Eisteddfod Genedlaethol, ac fe'i cyfarchwyd ar gae gwlyb iawn yn y Barri: 'Ifor Rees in heavy rain!'

A phan glywodd Alun fod Dillwyn Miles wedi penderfynu cael ceffyl i'w farchogaeth yng ngorymdeithiau'r orsedd, ebe ar amrantiad, 'Dillwyn Miles yn dilyn march!'

Ac wedi ymweld â Mart Llandysul galwodd Alun yn nhafarn y Cilgwyn. Roedd hatsh fechan yn y mur i roi'r archeb i'r tafarnwr.

'Y twll i gael peint allan!' ebychodd Alun.

Ac wrth yrru yn ei fodur o'r Cilie tuag at Gapel-y-wig bu bron i Eser Evans, fforman bois yr hewl, â tharo mewn iddo ar gornel gyfyng ger Parcypwll. Agorodd Alun ffenest ei fodur ac mewn llinell groes o gyswllt gofiadwy, â'r wên fwyaf ar ei wyneb, meddai, 'Eser Evans, arafwch!'

Dro arall roedd T. Llew, Alun ac Isfoel yn gyrru ym modur y Capten Dafydd Jeremiah Williams ar eu ffordd i *Ymryson y Beirdd* yn stiwdio'r BBC yn Abertawe. Ar gylchfan yng Nghaerfyrddin aeth y modur yn garlibwns i mewn i ben ôl modur arall.

Yn fuan daeth heddwas i ymholi ynghylch achos y trawiad. Adwaenai Alun y PC ac roedd hwnnw wedi tynnu ei bensil allan ac roedd yn gwlychu ei flaen yn ei geg. Agorodd Alun y ffenest,

'Diawch, Twm, ble gest ti afael yn y pensil mowr 'na?'

Ni chlywyd rhagor am y mater!

★

Oherwydd rhif y teulu niferus byddai'r bechgyn ieuengaf a'r gweision yn cysgu ar y storws. Roedd y silffoedd ar hyd y muriau yn gwegian dan bwysau rhesi a rhesi o lyfrau Cymraeg a Saesneg, cylchgronau a chopïau o *Hansard* Tŷ'r Cyffredin. Dywedai Alun,

'Doedd dim eisiau i mi dorri ewinedd fy nhraed, byddai'r llygod Ffrengig yn gwneud hynny drosof yn ystod y nos.'

RHAI O GERDDI ALUN JEREMIAH

HOFF FWYDYDD TEULU'R CILIE

Caws i mi, pancos i Mam – a cheiliog
coch i Alun wenfflam;
salad a ffowls i William,
ond rhowch i George drwch o jam.

Sopas i Ffred i swper, – Myfanwy
am fynnen a braster,
wyau y byd a ham bêr
a rostiwn i'r chwaer Esther.

I Simon, llith sy yma, – ni thiwnia
torth wenith â'i gylla;
ac i Dwm rhodder cig da
anifeiliaid i'w fola.

I Ann amryw gacennau, – i 'Mathla'
cawl maethlon a llysiau;
mae John aeth dros y tonnau
ar y sŵps wedi brasáu.

COFIO JOHN ALEXANDER BERRY
(a fu farw yn yr Hafod, Aberteifi)

Ond rhown, er fy mhryder heno, – lawer
am gael clywed eto
si ei lais yn pwysleisio
yn ei sgwrs – 'Jaw', I must go!'

Y CADNO

Oracl main â'r clyw miniog – ydyw'r lleidr
llwydrudd a chynffonnog;
i iard yr ieir daw y rôg
a dychwelyd â cheiliog.

LLYGODEN

Llwyd yw lliw'r byrglar diwyd, – ar droed hwyr
daw i'r tai'n fusneslyd;
hen filain, fechan, fowlyd
yn byw ar gaws a brig ŷd.

Curo'r sensor eto!

Stori gan Jon Meirion, mab Jac Alun.

Dywedai Nhad, 'Roeddwn yn ddarllenwr brwd o golofn Saunders Lewis, CWRS Y BYD. Os bu proffwyd erioed, Saunders oedd hwnnw.'

Roedd *Y Faner (ac Amserau Cymru)* yn cael ei hystyried yn danseiliol gan y Llywodraeth ac ymwelai un o swyddogion yr heddlu cudd â siopau llyfrwerthwyr i gasglu enwau unigolion a oedd yn derbyn y papur. Ond trwy gytundeb â Miss Thomas, Siop y Castell, Aberteifi, cofrestrwyd prynu'r *Faner* dan enw Mam.

Byddai rhai o fordeithiau Nhad yn ymestyn dros gyfnod o dair blynedd ond gofalai Mam ddanfon *Y Faner* iddo yn rheolaidd. Cuddiai'r papur tu fewn i'r *Tivy-Side* fel haenau o jam mewn brechdan. Ac wrth wneud hyn cuddiwyd y Gymraeg hefyd. Rhoddwyd gwasgod o bapur brown dros ganol y bwndel i ddangos y Saesneg bob pen. Yna clymwyd y ddau ben gan gortyn wedi ei selio â chwyr. Credai'r sensor wedyn mai papurau Saesneg oedd y cwbl.

NEST

Stori gan Jon Meirion am Nest Humphreys, merch ieuengaf y Parchedig Fred Jones ac Eunice Jones, nyrs ac athrawes. Dychwelodd i Lanbadarn wedi iddi ymddeol.

Roedd Anti Nest a'i gŵr, Wncwl Alun (athro ffiseg yn Clapham a brodor o Aberystwyth), yn byw mewn fflat, yr ail o'r llawr uchaf yn Westbourne Park Road, Llundain.

Wrth y drws gwaelod roedd rhes o fotymau pres i'w gwasgu i gyhoeddi bwriad yr ymwelydd, ac i dderbyn ateb llais a gwahoddiad i fynd i fyny i'r llawr o'i ddewis.

Ar fy ymweliad cyntaf, os nad ar bob achlysur, byddai Nest yn fy atgoffa a'm cynghori, gan bwysleisio'n daer y dylwn ddilyn ei chyfarwyddiadau.

'Gofala nawr, paid â gwasgu'r botwm ucha neu efallai y cei di groeso mawr a'r cynnig i aros dros nos. Mae un o adar y nos yn byw yno ac mae llawer o ddynion yn ymweld â hi, ddydd a nos! Mae moduron crand a moethus yn galw heibio ac yn cario dynion blaenllaw iawn – o'r gwasanaeth sifil, llysgenhadon a sêr y sgrin arian a'r byd chwaraeon. Cofia nawr, pan wyt ti'n galw heibio – gwasga'r ail fotwm o'r top!'

Ac roedd yn amlygu'r wên letaf a'r chwerthiniad mwyaf afieithus a welsoch ac a glywsoch erioed. Cofiwch, cododd chwant arnaf i wasgu'r botwm i weld sut un oedd hi!

FRED WILLIAMS

Storïau gan Evan Edwards am Fred Williams, ŵyr i'r Cilie, pedwerydd plentyn Marged a Rees Williams, Y Felin Huw, Cwmtydu. Roedd Fred yn amaethwr, yn forwr, yn gigydd, ac yn awdur cyfrol o farddoniaeth.

Ffurfiwyd yr L.D.V. (Local Defence Volunteers) gan y Capten Morgans, Werfil Grange. Ef oedd ein Capten Mainwaring. Yr is-gapten oedd Mr Bunty, Cwmcynon, a Tom Jenkins (Gwyndy) oedd y sarjant. Hefyd yn y garfan roedd Orwel Jenkins (Pendderw), Tomi Owen (Tŷ Capel), Ieuan Davies (Hafod), Islwyn Hughes (Cyffionos), Iwan a Dai Jones (Rhyd-fach), John Lloyd Jones (Penparc), Fred Williams ac Evan Edwards.

'Wen ni ddim yn lot fowr. Cwaliti ch'weld,' medde Evan.

Yr HQ oedd yr odyn galch ar draeth Cwmtydu.

Roedd y dewrion yn barod am Hitler. Un noswaith dywyll saethodd Orwel Jenkins at y winsh gychod ar y traeth gan feddwl mai Almaenwr ydoedd. Nid oedd neb wedi ateb i'w gwestiwn 'Friend or foe!' Rhwygwyd tawelwch y gilfach gan saethu a rhuthrodd Evan, Fred a Tom mas o'r odyn.

'Wen nhw'n lwcus ar y jiawl. "Shoot first" a gofyn cwestiynau wedyn,' gwaeddodd Orwel yn gyffrous.

Bryd arall, pan oedd y pedwar ar ddyletswydd a braidd yn *trigger happy* daeth rhywun i lawr y ffordd ar ôl treulio orig neu ddwy yn y Crown. Y tu ôl i'r morfa ar eu boliau a helmedau ar eu pennau, roedd *ambush* yn disgwyl amdano. Ac eto, nid oedden nhw'n deall pam roedd y 'gelyn' yn dod o gyfeiriad y tir.

'Stop! Friend or foe? Advance and be recognised!'

'Friend with bottle,' oedd yr ateb ofnus.

'Friend, pass. Bottle, wait!' gwaeddodd Dai Rhyd-fach yn awdurdodol.

★

Roedd englynion Saesneg Fred Williams yn crisialu hwyl y cyfeillgarwch (er mai amser rhyfel ydoedd), a phenderfyniad anorchfygol hyd yn oed ffermwyr a bois yr hewl na châi Adolf Hitler roi ei grafangau ar dir cysegredig Cwmtydu.

YR HOME GUARD AR GWMTYDU
(Fred Troed-y-rhiw, Tom Gwyndy a Dai Rhyd-fach)

Sunday night, the three mighty – are on guard,
    Renegades in bravery;
  And I bet these men would be
  Injurious to the Jerry.

United in our duty – here we are
    The pride of our party;
  And tonight – we'd fight if we
  Met Adolf at Cwmtydu.

'This guttersnipe, wipe we will – like a rat
    Into hell,' cried Churchill;
  Of our prestige on vigil
  Now take heed, we're out to kill.

Fred oedd cofnodwr yr Home Guard a chredaf nad oedd un tebyg iddo trwy holl Ynysoedd Prydain. Yn lle'r jargon arferol megis 'nil return', 'nothing to report' neu 'all quiet', gwell oedd gan Fred gadw cofnod ar ffurf englynion Saesneg:

In report of importance, – no event
in vain our vigilance;
and a foe in defiance
come ye dare – we'd make him dance.

TYDFOR

Tydfor, unig blentyn Siors a Hettie, a wnaeth 'Chem' 'Bot' a 'Zoo' (Lefel A) yn Ysgol Ramadeg Aberteifi. Arhosodd gartref i amaethu, ac roedd yn arweinydd Parti Adar Tydfor, yn fardd cadeiriol ac yn awdur cyfrol o farddoniaeth.

LIMRIGAU TYDFOR

Fe roddes dan iâr oedd wrth lwc, w,
Yn gori, ryw bymtheg wy gwcw,
Disgwyliais yn selog
Dros fisoedd haf heulog,
Ond heb geiliog, we'r cwbwl yn glwc, w.

Dychmygwch fod hwyad a chwrci
Am unwaith â'i gilydd yn croesi –
Hanner plu, hanner blew,
Yn galw cwac-mew
Wrth nofio'n go lew a dweud grwndi.

Storïau Jon Meirion am Tydfor.

Ef oedd fy ngwas priodas! Wedi ffitio siwt addas (Moss Bros) yn siop Watt's yn Aberteifi daeth draw i'n cartref yn Cilfor ar fore'r briodas – yn anadnabyddus yn ei rig-owt! Dechreuodd chwilio am rywbeth ar y seld, ar silffoedd ac ar y ddesg ac yn sydyn ebychodd,

'Beth yw'r rheina?'

'Casis y weinidogaeth,' meddwn innau mewn syndod.

Ond roedd Tydfor am le diogel i roi'r fodrwy briodasol. Rhoddodd y casyn a'r fodrwy yn un o'i bocedi.

Ar ôl rhannau agoriadol y briodas fe symudodd y ficer, y priodfab a'r briodferch ymlaen i'r allor.

'Pwy sy'n gofalu am y fodrwy?' gofynnodd y ficer.

Am funud, am funudau, am oes, doedd y gwas priodasol ddim yn cofio ymhle y rhoddodd y fodrwy.

Bu'n twrio a chwilio am dragwyddoldeb! Yna cofiodd ei fod wedi ei rhoi ym mhoced ôl ei drowsus. Roedd y gynulleidfa yn ddisgwylgar ac mewn penbleth – ond roedd mwy i ddod! Roedd yr amlen wedi stico'n sownd yn y boced oherwydd roedd y gwas wedi chwysu am fod y briodferch 40 munud yn ddiweddar yn cyrraedd. Wedi tynnu a thynnu a rhwygo rhyddhawyd y fodrwy a disgynnodd ar y Beibl.

*

Er mai dim ond blwyddyn ac ychydig fisoedd yr oedd Tydfor yn hŷn na mi, roedd yn ewythr i mi.

Cyfansoddodd benillion clodwiw am athrawon Ysgol Ramadeg Aberteifi. Ac un prynhawn penderfynodd eu darllen i'w gyd-ddisgyblion yn lle gwrando ar 'Bruce Bach' yn ei wers ffiseg yn y Lecture Room. Cafodd ei ddal a'i ddanfon i sefyll yn y coridor hir o flaen drws caeedig swyddfa'r prifathro. Ymhen ychydig, pwy ddaeth heibio ond W. R. Jones.

'Beth y'ch chi'n neud fan hyn, Tydfor Jones?'

Cyfaddefodd Tydfor ei 'drosedd'.

'Ble mae'r penillion nawr? Give them to me, Tydfor. Ewch 'nôl i'ch dosbarth.'

Ni chlywyd rhagor am y digwyddiad.

Ugain mlynedd a rhagor yn ddiweddarach cyfarfûm â W. R. ar un o strydoedd Aberteifi. Roedd ganddo air cwrtais, stori a gwên fel arfer a mwynhawn bob amser gyfarfod â'r Gamaliel hoffus...

Yn ystod ei barabl cyfeiriodd yn annisgwyl at y

digwyddiad yn ymwneud â phenillion Tydfor i'r athrawon – o'r gorffennol pell.

'Let me tell you, Jon. Fe gedwais y penillion. Doniol iawn! Dysgais hwy ar fy nghof. A hoffech eu clywed?'

Dyna oedd gwefr! Fe adroddodd W. R. yr holl benillion yn y fan a'r lle ar gornel Feidr Fair. Roeddwn yn fy nwbwl yn corco lan a lawr yn fy mwynhad o'i berfformiad. Anghofiais yn llwyr ofyn iddo am gopi o'r farddoniaeth. Dyna drueni! Roedd y cyfaddefiad yn dweud cymaint am hynawsedd W. R., y gwerinwr a'r dyn cyffredin, ag yr oedd am ddireidi a thalent Tydfor. Pa athro arall o'r 'Stalag Ramadeg' a fyddai wedi mynd i'r cyfeiriad hwnnw a'u cadw ar gof?

⋆

W. R. Jones oedd yr unig athro yn Ysgol Ramadeg Aberteifi i siarad Cymraeg â ni fel disgyblion. Byddai Tydfor, fel amryw o ddisgyblion cefn gwlad, yn cyfeirio at W. R., a W. R. yn unig, wrth sôn wrth ei rieni am ei gynnydd a hanesion beunyddiol yr ysgol. Ac wedi'r arholiadau 'Senior' a 'Higher' a Tydfor wedi disgleirio ynddynt, penderfynodd ei fam, Hettie, y garedicaf o ferched Efa, gydnabod cyfraniad W. R. Iddi hi, W. R. yn unig oedd yn gyfrifol am lwyddiant ei mab ym mhob pwnc!

Aeth Hettie i lawr i Aberteifi i anrhegu W. R. ond nid oedd gartref yn Hinata. (Fe'i dymchwelwyd pan adeiladwyd Tesco.) Gadawodd Hettie ffowlyn ffres a bras a rhywbeth i W. R. ei wisgo am ei draed wrth ddrws ei dŷ, gyda nodyn i ddiolch. Ynddo roedd esboniad am y ddau bâr o slipyrs – roedd un pâr yn fwy na'r llall rhag ofn fod traed mawr ganddo!

★

Disgleiriodd Tydfor yn Ysgol Ramadeg Aberteifi ac er ei lwyddiant yn arholiadau'r 'Senior' a'r 'Chem', 'Bot' a 'Zoo' wedyn yn y safon 'Higher', aros gartref a wnaeth e. Roedd ei dad, Sioronwy, yn wahanol iawn i'w frodyr, a'r Gaerwen yn gweddu i'r dim iddo. Lle bach, oddeutu 30 erw, a lle digonol i gynnal un dyn a'i deulu ydoedd, a lle tawel, diarffordd o gyrraedd y byd yn reddfol ac yn naturiol. Canodd unwaith mewn telyneg am ei athroniaeth – a dyn, y dylaf o greaduriaid byd...

Ei fywyd bach yn uffern
O wag gredoau'n llawn,
A phob creadur arall
Yn byw'n naturiol iawn.

Wedi etifeddu doniau'r llenor a'r bardd oddi wrth ei dad, law yn llaw â hiwmor a hynodrwydd talentog ei fam, nid rhyfedd iddo ddatblygu'n ŵr amryddawn a serennog. Cyfoethogodd ei fro â'i ddawn fel arweinydd noson lawen a'i barti Adar Tydfor, ac fel beirniad eisteddfodol, digrifwr, cerddor a bardd cadeiriol.

Rwyf am rannu hanesyn â chwi a ddigwyddodd ar ddiwedd y rhyfel ac yn y pedwardegau hwyr a dechrau'r pumdegau. Penderfynodd y Llywodraeth yn Llundain ddechrau ymgyrch trwy wledydd Prydain i dyfu mwy o gynnyrch ac felly mwy o fwyd i'r boblogaeth. Gofynnwyd i ffermwyr aredig tir gwndwn – tir heb ei aredig neu ei arddyd o'r blaen. Cyrhaeddodd bwndel o ffurflenni yn Gaerwen oddi wrth y WARAG ac ar orchymyn ei dad aeth Tydfor ati i ateb y cwestiynau:

Name of farm, acreage, type of farming.

Give the O. S. reference number of the proposed land to be used for new crops.

Name the crops.

Roedd darn o dir ar ben y clogwyni uwchben y môr, ac yn ymestyn hyd at y clawdd ffin: Parc y Big a Banc Llywelyn.

Roedd cwestiwn arall:

Name the piece of land.

Ac mewn eiliad o athrylith cofnododd Tydfor yr enw newydd: NEWFOUNDLAND.

Dywedodd wrthyf yn hwyrach iddo dderbyn cyfres o lythyron oddi wrth y weinyddiaeth gyda'r cyfeiriad: Mr Tydfor Jones, Newfoundland, Gaerwen, Blaencelyn, Llandysul, Cardiganshire.

*

Byddai Tydfor yn ennill gwobrau eisteddfodol yn gyson. Unwaith cafodd lythyr gyda'r newyddion ei fod wedi ennill cadair yn Eisteddfod Cydweli. Penderfynodd fynd draw yn y *pick-up* yng nghwmni James Morris James ac Owie Lloyd.

Nid oedd Tydfor na'i deulu yn brydlon. Ni ddilynai neb rigolau cloc neu wats, byddent fyw wrth ddilyn cwrs yr haul. Ac felly roedd hi ar ddiwrnod y cadeirio.

Tydfor a Gerallt yn gwrando ar un o straeon rhamantus Jac Alun ar glos y Cilie, yn ystod yr aduniad olaf cyn arwerthiant yr anifeiliaid, y peiriannau a'r offer.

Roedd yr arweinydd wedi cyflwyno'r beirniad, ac yntau wedyn wedi cyflwyno'i feirniadaeth a'r dyfarniad. Gofynnodd yr arweinydd i 'Cwmbwrddwch' (ffugenw'r buddugol) sefyll ar ei draed neu ar ei thraed. Dim ymateb a dim sôn am neb yn codi!

Bu trafodaeth fer rhwng y swyddogion ar y llwyfan. Nid oedd Tydfor wedi cyrraedd.

'Safed "Cwmbwrddwch", ac ef neu hi yn unig, ar ei draed neu ar ei thraed.'

Eiliadau hir o ddisgwyl a phennau'n troi a syllu tua'r cefn. Yna, dyma waedd yng nghefn y babell a rhywun yn gweiddi nerth ei ben:

'Mae ar ei draed yn barod.'

Roedd y bardd a'i gyfeillion newydd gyrraedd a'u gwynt yn eu dyrnau. Achlysur i'w gofio!

★

Cyfansoddodd Tydfor nifer o gerddi digri, a dyma efallai yr enwocaf.

CWRW CARTRE CWMGWAUN

Y gwin sy'n help i ganu, – i oelio'r
gylet cyn pregethu.
Mae fel hotel ym mhob tŷ,
hotel a neb yn talu.

FI A HI

(Penillion Tydfor gan gyfeirio at ei dafodiaith ef fel Cardi a thafodiaith Ann, ei wraig, o Gaernarfon)

Bwrw'n drwm a'r glaw ymhob man
Mynte fi, medd hi, mae'n stidan,
Ei chur pen, 'da fi ben tost,
Clwyd yw'r iet a pôst yw'r post.
Hen grwt ffeind wyf fi 'da'r wraig,
Hi'n ferch neis i fi (nid draig),
Pan 'mod i yn dwedyd ceser,
Cenllysg, medde hi bob amser,
Ac ni wyddwn i, myn Duw,
Mai iâr yr haf oedd glöyn byw…

Fi yn jwmpo, hithe'n sboncian,
Nhw'n hel clecs, a ninne'n cloncan,
Llefrith roith yn soser pws,
Ac i finne glamp o sws.
Fi'n dweud afu, hi'n dweud iau.
Hi sut dach chi; fi shw mae.
Hi tyd yma, fi'n dweud dere,
Hi mewn difrif, fi dim whare.
Hi'n dweud nionod, fi'n dweud winwns,
Hi'n dweud cennin, fi'n dweud shibwns…

MYFANWY

Stori gan Jon Meirion am Myfanwy Jones (Husak), merch Esther a Joshua. Bu'n nyrs yn Llundain gydol ei hoes, a phriododd ddyn o Georgia.

Nyrs oedd Anti Fanw, chwaer fy nhad, a gwasanaethodd yn ffyddlon ac yn ymroddgar yn Llundain a thrwy gyfnod bomio erchyll y Luftwaffe yn ystod yr Ail Ryfel Byd. Un noson, pan oedd yn gweithio yn Ysbyty Middlesex fe'i danfonwyd i fynd â ffurflenni i lawr i'r marwdy (*mortuary*) yng ngwaelod yr ysbyty. Aeth i lawr yn ofalus ac yn betrusgar dan olau gwan iawn.

Wedi gwthio'r drws yn ofalus, gwelodd oddeutu dau ddwsin o gyrff yn gorwedd ar y byrddau o dan lieiniau gwynion. Troediodd rhyngddynt ar flaenau ei thraed gan gydio'n dynn yn yr amlen. Roedd y ddesg ym mhen draw'r ystafell eang. Yna yn sydyn, cododd un o'r 'cyrff' i fyny ar ei eistedd. Gŵr ydoedd a wisgai farf frith, drwchus, a gwallt hir i lawr at ei wegil. Estynnodd ddwy fraich allan tuag at Myfanwy a dywedodd mewn llais cryglyd:

'Will you, please, get me a nice cup of tea?!'

Ceisiodd Myfanwy sgrechen ond methodd yn lân. Fe ruthrodd tua'r fynedfa, gan ochrgamu rhwng y byrddau, ac i fyny'r grisiau a'i gwynt yn ei dwrn i swyddfa'r metron.

'One of the corpses has come alive!'

'Don't be silly, nurse, come with me.'

Dychwelodd y ddwy i'r marwdy. Yr ysbryd a atgyfododd oedd y Rabbi Iddewig. Mae'n debyg fod y rhain yn gwylad yr ymadawedig nes iddynt symud o'r ysbyty. Gwnaeth Myfanwy baned iddo – mewn rhyddhad.

ARDUDFYL

Stori am Ardudfyl Jones (Morgan), pedwerydd plentyn Frederick a Maud Jones.

Ymunodd â rhengoedd y fyddin yn ystod yr Ail Ryfel Byd, ond nid oedd ei thad yn fodlon iawn oherwydd ei ddaliadau heddychol. Serch hynny, rhoddodd ei fendith ar ei gwaith yn enwedig pan ddeallodd ei bod yn swyddog gyda'r Queen Alexandra Nursing Corps – ac yn gweithredu yn ddyngarol allan yn Caen, Ffrainc. Yno cafodd gryn dipyn o ffwdan oddi wrth y C. O. (Commanding Officer).

'You have a rather unusual name, Lieutenant Jones (a phlwmsen fawr yn ei geg). What does it mean? It has a rather strange and difficult pronunciation.'

'Not really, sir. It's a Welsh name – Ardudfyl. She was the mother of Dafydd ap Gwilym – a famous poet.'

'Oh, we can't possibly pronounce that awful name, my dear! We shall have to call you Dreadful.'

Ac fe'i cyfarchwyd gydol ei chyfnod yn Ffrainc fel Lt. Dreadful. Y diawled pwdr, difaners!

DAFYDD JEREMIAH

Stori am Dafydd Jeremiah, trydydd plentyn Marged (Margaret) a Rees Williams, Y Felin Huw, Cwmtydu.

Roedd y Capten Dafydd Jeremiah Williams yn anfon llythyron a bellafoedd byd i'w wraig Gwenllian gartref ar aelwyd y teulu yng Nghilwerydd, Pontgarreg. Yr enwau cyfrin oedd enwau bridiau o ddefaid.

Welsh Black – Buenos Aires
Dorset – Freetown, Sierra Leone
Llŷn – New Orleans
Merino – Freetown, Perth, Awstralia
Cheviot – St. John's, Newfoundland
Beulah – Cape Town, De'r Affrig
Llanwenog – Montreal, Canada
Balwen – Trincomalee, Ceylon/Sri Lanka.

e.e. A ydyw davies cwmhawen yn cadw defaid llanwenog? Faint o welsh black sydd yn y cilie?

A byddai Gwenllian Williams yn gwybod bod ei gŵr wedi gadael Montreal am Buenos Aires!

Bu'r cynllun yn llwyddiannus iawn, ac yntau'n ysgrifennu yn Gymraeg ac mewn llythrennau bychain. Cyrhaeddodd pob llythyr yn ddiogel a heb archwiliad gan y sensor.

★

Un noson wedi i Siaci Pant-yr-ynn a Siams Pendderw dreulio amser yn y Crown, penderfynon nhw, gan fod eu cloch yn uchel, fynd i'r cyfarfodydd neilltuol yn eglwys Llandysiliogogo. Roeddent am ychwanegu eu harmonïau a'u hwyl i'r gân. Cyrhaeddon nhw'n hwyr a galwodd Idrisyn, yr offeiriad, hwy yn bechaduriaid ac fe'u trowyd hwy allan gan y wardeiniaid gyda'r geiriau –

'Cerwch mas, y ddou gythrel!'

Ond fore trannoeth gofynnodd rhywun i Siaci sut gwrdd a gawsant y noson cynt. Ei ateb oedd,

'Cwrdd bendigedig. Roedd Idrisyn yn argyhoeddi pechaduriaid a Jones Penrallt yn bwrw allan gythreuliaid!'

★

Wedi ei ymddeoliad bu'r Capten Dafydd Jeremiah yn drysorydd anrhydeddus yng Nghapel-y-wig am flynyddoedd. Roedd ganddo gof diwaelod a chofiaf amdano yn adrodd rhifedi o englynion, sonedau a phenillion y 'tyl' (gair y teulu am 'y tylwyth') a darnau helaeth o bryddest enwog S. B., 'Rownd yr Horn'. Mewn pwyllgorau eglwys amlygai ddoethineb gwreiddiol. Os codai rhyw bwnc dyrys a chymhleth, awgrymai,

'Mae'r broblem gerbron yn fater gobennydd!'

Hynny yw, cysgu drosto, a dôi eglurhad ac ateb erbyn y bore!

★

Bu'r Capten D. J. Williams yn morio ar 27 o longau, 13 ohonynt fel capten. Ei long ddiwethaf oedd y lefiathan *ALVA STAR* – tancer olew 113,932 tunnell oedd yn hwy na chae pêl-droed.

Pan fyddem yn ymweld â'i long yn Aberdaugleddau caem ein tywys yn ei gwmni ar hyd y dec, o'r starn i'r bows, ar gefn beic! Cadwai ryw hanner dwsin ohonynt ar y llong fel cyfleustra a chymorth, rhag cerdded milltiroedd!

★

Roedd Siencyn Ifans, Pant-yr-ynn, un o gymeriadau Cwmtydu, mewn ocsiwn ar fferm Cwm Cynon a gwelodd rywun yn teimlo ac yn archwilio'r hwrdd – ei ddannedd, ei gefn a'i gyrn.

Dywedodd Siencyn wrtho,

‘Bachgen, bachgen, pam wyt ti mor fanwl yn teimlo’i gefn, ac edrych ar ei ddannedd a’i gyrn – edrych ar y lle y mae’n cadw’r arian rhent i ti!’

RHIANNON

Storïau gan Rhiannon Phillips, degfed plentyn Myfanwy a Gruffydd Phillips, Helygnant, Ffynnon-groes, Sir Benfro.

Ganwyd deg o blant i Gruffydd a Myfanwy, wythfed plentyn Jeremiah a Mary – y naw plentyn cyntaf oedd Mary Hannah yn y Cilie; Margaret Ann (Pegi) yn Nhŷ Canol; Tom, Alice, Fred, Olwen, Martha ac Elfan yn Helygnant, a George yn y byngalo newydd.

Ar drothwy genedigaeth yr ieuengaf yn y byngalo roedd eu cymdogion wedi cael teleffon am y tro cyntaf. Cafwyd benthyg y ‘rhyfeddod newydd’ i gysylltu â meddyg y teulu Phillips yn Nhydraeth. Daeth yn brydlon a bu’n gyfrwng i enedigaeth lwyddiannus.

Cofrestrwyd y baban newydd yn RHIANNON FFONA PHILLIPS – am mae ei theulu oedd y cyntaf i ddefnyddio ffôn newydd drws nesa, ar achlysur ei genedigaeth.

★

Roedd macsu cwrw yn rhan annatod o weithgaredd Helygnant – ac yn fodd i ddisychedu’r gweithwyr ar ddiwrnod cneifio, lladd mochyn a Strae’r Ponis bob blwyddyn. Byddai bechgyn direidus, yn enwedig Elfan, yn mynd â pheth o'r ddiod fain (nid yr un gadarn) yn y siwc ar gyfer cinio yn Ysgol Llwynihirion. Cawsant eu holi gan Ifor Davies yr ysgolfeistr,

'Be sy 'da chi bois yn y siwc heddi?'

Ac wedi agor y caead a dangos y cynnwys, meddai Elfan,

'Te heb la'th, syr!'

GERALLT

Stori am y Parchedig Gerallt Jones, plentyn hynaf Frederick a Maud, a thad Huw Ceredig, Dafydd Iwan, Arthur Morris ac Alun Ffred. Roedd yn was fferm, morwr, gweinidog yr Efengyl, bardd, ac awdur sawl cyfrol.

Derbyniodd y Parchedig Gerallt wybodaeth oddi wrth ysgrifennydd Eisteddfod Flynyddol Llanarth ei fod wedi ennill cystadleuaeth y gadair. Cysylltodd â'i fab, Huw Ceredig, gan ofyn iddo hurio fan ddigon o faint i gludo'r gadair o Neuadd Llanarth i'w gartref yn Gwyddgrug.

Roedd Neuadd Llanarth dan ei sang a phawb yn eiddgar ac awyddus i weld pwy enillodd y gystadleuaeth ac i glywed y farddoniaeth. Aeth y seremoni yn ei blaen – sylwadau'r beirniad, cyhoeddi'r ffugenw, cyrchu'r bardd buddugol i'r llwyfan, cyhoeddi ei enw a chanu'r anthem genedlaethol. Eisteddodd Gerallt yn hedd yr eisteddfod ac mewn cadair dderw gadarn,

Nest yn corco chwerthin ar un o jôcs Huw Ceredig!

gerfiedig. Roedd yn ei seithfed nef yn ei falchder, gan fyfyrio ymhle y rhoddai'r dodrefnyn hardd yn y Mans. Efallai yn y cyntedd i bawb gael ei gweld, neu yn ei swyddfa, y llyfrgell neu yng nghornel y lolfa.

Yna, gwahoddwyd noddwr y gystadleuaeth i'r llwyfan. Daeth ymlaen a safodd yn ymyl y bardd buddugol cyn cyflwyno'r gadair i Gerallt Jones. Yn ei llaw roedd cadair fechan, o bren golau oddeutu deng modfedd o uchder ac wedi ei chreu gan grefftwr lleol. Efallai i Gerallt deimlo elfen o siom gan ei fod yn eistedd ar gadair fawreddog ond roedd hyn yn annisgwyl. Lledodd gwên fawr dros wyneb Gerallt ond wrth syllu ar wyneb Huw Ceredig gwelodd fod ei wên ef yn lletach na'r wawr ysblennydd. Ac wrth feddwl am y fan fawr wen tu allan yn disgwyl am ei llwyth, mae'n debyg i Huw fwmian dan ei anadl,

'Pickfords, myn yffach i!'

TUDOR

Stori gan Jon Meirion am Joshua Tudor, ei frawd – pedwerydd plentyn Jac Alun ac Ellena. Roedd yn athro gwyddoniaeth yn Llundain.

Roedd Tudor, neu 'Josh' fel y'i hadwaenid yn Harrow, Llundain, yn gwrando ar y radio yn ei fodur wrth iddo ddychwelyd ar hyd yr A40 ar ei ffordd adre i Cilfor, Llangrannog. Ar un rhaglen clywodd am ŵr o Bwlch, Sir Frycheiniog, a oedd yn cadw sw fechan o anifeiliaid ac yn eu gwerthu i'r cyhoedd. Cysylltodd fy mrawd ag ef cyn ymweld â'i gartref. Ymhlith y creaduriaid a gynigiwyd iddo roedd sarff boa ('constrictor'), tarantiwla, ac aligator Americanaidd.

Dewisodd yr aligator a oedd bron yn ddwy droedfedd a hanner o hyd. Adeiladwyd caets pren mawr ac un ochr yn wydr. Hefyd gosodwyd bwlb trydan ynddo a fyddai ynghyn yn barhaol i'w wresogi. Ac ar waelod y caets gosodwyd padell o ddŵr. Hoffai blymio a

bwyta ei friwgig, ei fwydod a'i benbyliaid ynddo. Roedd golau parhaol y nos yn atyniad i wyfynod ac roedd ymgais Ali i'w dal yn creu clindarddach swnllyd gydol y nos. Bygythiodd fy nhad wneud handbags lledr ohono os nad oedd yn tawelu! Câi ddod allan o'r caets bob hyn a hyn.

Dôi ieuenctid y fro acw i weld un o berthnasau'r deinosoriaid gynt, a chafodd ei lun yn y Teifi-seid dan y pennawd 'Teacher's Pet'. Roedd yn bencampwr ar chwarae 'snap'. Cadwai'r cymdogion draw wedi clywed fod Ali yn crwydro'r tŷ. Ni welwyd Mr Thomas y gweinidog, Capten Taylor, Mary Lewis na'r beirdd am fisoedd.

Ond ar ddiwedd un haf dychwelodd fy mrawd i Lundain a'r aligator gydag e. Rhaid oedd rhuthro'n ôl oherwydd ymlusgiad gwaed oer ydoedd.

Wrth yrru fel gyrrwr F1 ar hyd ffordd osgoi Rhydychen tynnodd sylw'r 'Glas'. Daeth heddwas mawr o gorffolaeth draw at y fan mini a chyhuddo Tudor o dorri'r gyfraith â'i gyflymder uchel.

'I am very sorry, officer, but I have a live alligator in the back!'

'Have you been drinking?'

'No, certainly not. Would you like to see him?'

'Who do you think I am – David Attenborough?'

Agorodd fy mrawd ddrysau cefn y fan mini ac yno roedd Ali yn ymlacio yn y dŵr, a phan blygodd

yr heddwas ymlaen cymerodd 'snap' fach ato – cyn iddo neidio'n ôl.

Ymhen tair wythnos derbyniodd fy mrawd wŷs i ymddangos gerbron y llys. Ni fedrodd fod yn bresennol a danfonodd lythyr ac ynddo ymddiheuriad am yrru mor anghyfrifol. Wele ddedfryd y llys a ddaeth i law:

'You have been fined £6.00 for driving at excessive speed along the Oxford bypass whilst in charge of an alligator.'

Roedd problem arall yn poeni fy mrawd: tyfai Ali droedfedd a mwy yn flynyddol. Felly fe'i gwerthwyd i Sw Whipsnade i ymuno â'i berthnasau yno.

JOHN ETNA

Storïau am y Capten John Etna Williams, pumed plentyn Marged a Rees Williams a fu'n forwr, a chapten llong, gan dreulio blynyddoedd yn Hong Kong.

Wedi marwolaeth hen forwr cafodd fynd i'r nefoedd a wynebu Pedr.

'Dwi ddim yn siŵr i ble y caf fynd!'

Ond atebodd Pedr,

'Rwyt ti wedi bod yn forwr da, yn gwasanaethu dy gyflogwyr, dy gyd-forwyr a dy deulu. Fe gei di fynd i'r Golden Gate.' (Roedd enwau llongau'r cwmni a gyflogodd y morwr yn gorffen gyda 'gate'.)

Ac meddai'r morwr,

'Diawch, Pedr, dwi i wedi bod ar yr *Highgate*,

3 chapten – 2 frawd a chefnder cyntaf. O'r chwith: John Etna, Dafydd Jeremiah a Jac Alun.

Flowergate, *Redgate*, y *Northgate* a'r *Southgate*. Mae'n well gen i fynd i uffern na chael trip arall ar y *Golden Gate*!'

★

Byddai'r morwyr yn prynu dillad, offer a matresi cysgu oddi wrth Jones, y Goat (The Golden Goat) yng Nghaerdydd. Gelwid y matras yn Donkey's Breakfast ac roedd yn llawn o wellt, mân us, tsiaff a llwch.

Wedi mordaith hir ac wrth agosáu at ddociau Caerdydd, cofiai pob morwr yr hen bennill:

When Lundy light you see ahead,
Pack your bags and dump your bed.

Ar un llong, taflwyd y matresi i'r môr, ond gan fod dociau Caerdydd yn llawn bu raid aros wrth angor am ddeg diwrnod – heb welyau na matresi!

FRED

Storïau'r Parch. Frederick Morris (F. M.) Jones, ail blentyn Fred ac Eunice Jones. Bu'n weinidog yr Efengyl yng Nghrymych ac Abertawe, ac roedd yn ffefryn mawr yn y tylwyth.

Yn rhinwedd fy swydd fel gweinidog byddwn i'n ymweld ag ysbytai. Un tro es i ward arbennig yn Ysbyty

Treforys i weld un o'r aelodau. Roedd hi wedi derbyn triniaeth lawfeddygol ac wedi dychwelyd i'r ward, ac ym mhresenoldeb ei gweinidog roedd yn dihuno yn araf o effaith yr anesthetig. Wrth iddi agor ei llygaid yn araf ebychodd yn gryglyd,

'I thought I was in heaven... until... I saw you!'

★

Roedd y côr mawr yn llawn o weinidogion ar gyfer Cyrddau Mawr un o gapeli'r Bedyddwyr yng ngogledd Penfro. Bob tro y codwn ar fy nhraed i ganu emyn, teimlwn fod math o bendro arnaf ac ansicrwydd balans. Aeth y symptomau'n waeth erbyn y trydydd emyn. Roedd y cloc fry ar yr oriel yn symud o ochr i ochr. Yna yn sydyn suddodd y llawr *linoleum*

Y Parch. F. M. a'i chwaer Enid. Bu Enid yn athrawes ar ei brawd am gyfnod yn Ysgol Tal-y-bont.

a llithrodd sawl gweinidog i'r bedyddfan o dan lawr y côr mawr. Roedd y styllod wedi gwanhau a phydru dros y blynyddoedd. Diolch byth nad oedd dŵr ynddo, i sawl gweinidog gael ei fedyddio… eto!

★

Un diwrnod, ro'n i'n siarad â hanner dwsin a rhagor o weinidogion yn y côr mawr yng Nghyrddau Mawr un eglwys adnabyddus. Llywyddwyd yr oedfa gan weinidog yr eglwys. Yn ystod y weddi roedd y pregethwr gwadd yn cau ei lygaid yn dynn ac yn ymestyn ei goesau hirion o dan y bwrdd. Penderfynodd un o'r gweinidogion ieuainc glymu lasys esgidiau'r gŵr gwadd o amgylch coes y ford. Pan wahoddwyd e i fynd i fyny i'r pulpud roedd yn methu symud. Tynnodd ei esgidiau ar frys gan ddringo'r grisiau a chyflwyno'i bregeth yn nhraed ei sanau!

Cwrdd Chwarter.

Byddai gweinidogion gogledd Sir Benfro yn cael siawns i gyfarfod a chymdeithasu yn y festri ar achlysuron arbennig fel y cyrddau chwarter, a chael sgwrs a hwyl dros baned.

Un tro roedd ciwed ohonynt mewn cylch gerbron bwrdd ac roedd dwy wraig wrth fwrdd arall o'u blaenau.

'Sdim gweinidog gyda ni ddiwedd mis nesa. Maen

nhw'n brin iawn, hyd yn oed y rhai cynorthwyol,' meddai un ohonynt.

'Fe allen nhw ofyn i Spiro Agnew. Mae e'n llanw Suliau,' meddai un direidus o'r gweinidogion.

Fe'i clywyd gan y ddwy wraig ac fe ofynnon nhw i'r gweinidog gysylltu â'r pregethwr hwnnw! Cyhoeddwyd yn eu capel fod Spiro Agnew yn dod i bregethu yn ystod y mis. Pan glywodd y gweinidog a gynigiodd y syniad am y drefn, bu raid iddo ffonio'r ddwy wraig.

'Yn anffodus mae Mr Spiro Agnew yn sâl ac yn methu dod!'

'O! Diolch yn fawr am roi gwybod.'

(Digon yw dweud mai Dirprwy Arlywydd Unol Daleithiau America oedd Spiro Agnew.)

Hanesyn am y Parch. F. M. (Deric) Jones.

Roedd newydd gael ei sefydlu fel gweinidog eglwysi Antioch a Phenygroes yng Nghrymych a'r cyffiniau. Un o'r gorchwylion cyntaf oedd mynd o amgylch i gyfarfod â'i braidd. Galwodd mewn un lle ac roedd y wraig yn dal y daflen sefydlu ac yn falch fod llun y gweinidog arni.

Roedd mewn cegin a chasgliad da o lestri ar y silffoedd.

'Ble mae'r lle gorau i roi'r daflen 'ma?' medde hi.

'O, rhowch hi lan gyda'r mygs eraill!' oedd ateb parod Deric.

DYFED
Stori gan Jon Meirion am Dyfed, mab Illtyd a Rachel (Ray) Anne Elias, Glyn Rhosyn, Bow Street. Mae'n un o efeilliaid (3ydd yn y rheng) – efaill Dilys Meinir, a brawd Gerwyn, Hefin ac Elwyn Elias.

Roedd fy nghefnder, Dyfed, yn athro Economeg yn Ysgol John Bright yn Llandudno ond ynghynt roedd yn bêl-droediwr sgilgar ac arbennig iawn.

Bu'n chwarae i dîm bechgyn Cymru dan 18 oed, ac mewn gêm yn erbyn Gogledd Iwerddon un o'r gwrthwynebwyr oedd George Best. Bu'n chwarae i West Ham United dan gyfarwyddyd Ron Greenwood. Roedd yn lletya gyda Martin Peters – un o chwaraewyr tîm llwyddiannus Lloegr yng Nghwpan y Byd 1966. Bu'n chwarae i Aston Villa hefyd. Cyngor ei fam iddo oedd 'coleg gyntaf, ffwtbol wedyn.' A hithau oedd yn gywir, wrth gwrs.

Wedi ennill gradd nid oedd ei ffitrwydd ar yr un lefel â chynt ac ymunodd a thîm Romford, yn y Southern League, dan arweiniad Harry Clarke, cyn-chwaraewr Spurs.

Aeth fy nhad a minnau i weld Dyfed Elias yn chwarae i Romford yn erbyn Telford United (Sir Amwythig). Roedd Telford ddwy gôl ar y blaen ar hanner amser. Yn ystod yr ail hanner – a Dyfed yn taflu'r bêl i fewn yn agos i ble safwn ger y llinell – gwaeddais,

'Dyfed, tyn dy fys mas!'

A wir i chwi, erbyn diwedd y gêm roedd Romford yn gyfartal, 2–2. Aethom draw i'r ystafell newid ac ymddiheuro am y waedd!

Bu Dyfed yn chwarae hefyd i Borough United. Atgofion cynnes amdano.

ALICE

Hoff ddywediadau Alice Bronwen Thomas, Hafod y Cilie, Rosebush, Sir Benfro, pedwerydd plentyn Myfanwy y Cilie.

Rwy'n dechre gweld isie fy hunan.

Heb ei fai, heb ei eni.

All neb gario'i deulu ar ei gefen.

Deuparth gwaith yw ei ddechrau.

Tebyg i ddyn fydd ei lwdwn.

Arian rhad a gerdd yn rhydd.

Mae ar doriad ei fogel.

Na farner fel na'ch bernir.

Torri'r got yn ôl y brethyn.

Paid taflu cerrig ar ben sied sinc.

Yr hen a ŵyr, yr ieuanc a dybia.

Cyn magu'n llwyr, rhaid magu ŵyn.

Twylla unrhyw un; paid twyllo dy hunan.

Ede rhy dynn a dyr.

Maen nhw'n bwyta o'r un plât.

Watsia di'r un fydd yn chwerthin yn dy wyneb – bydd yn chwerthin yn dy gefn hefyd!

Croesi'r afon i chwilio am ddŵr.

Mae e'n berson sy'n eiste ar ben iet.

Alli di ddim cael y dorth a'r geiniog.

Alli di ddim tyfu whisgyrs a siafo 'run pryd.

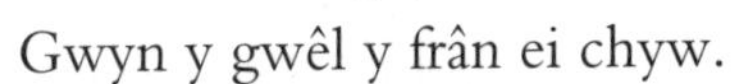

Gwyn y gwêl y frân ei chyw.

Sgidie y crydd sy o hyd yn gollwng.

Cowrw (cyfrwy) ar gefn hwch.

Mae'n well cael ffrind agos na pherthynas pell.

Ysgol ddrud yw ysgol profiad.

JAC ALUN

Storïau gan y Capten Jac Alun.

Roedd un morwr croenddu yn sâl iawn ar y llong ac roedd ei ffrind, dyn o'r un tras, yn pryderu amdano. Rhoddais archwiliad manwl iddo a throi at ei gyfaill, gan wisgo wyneb mor sifil ag y medrwn, gan ynganu'r lythyren 'p'.

A phan aeth yn ôl at ei gyd-forwyr, dywedodd, 'The Captain says he's got pneumonia.'

‘Go on! You mean he’s got pneumonia?!’

Ond ‘pniwmonia’ fu ar ei gyfaill. Onid dyna a ddywedodd yr Hen Ddyn?

*

Roeddwn wrth fy modd yn cael basned o gawl, a digon o sêrs ar ei wyneb. Roedd y Mwslemiaid yn y criw yn dathlu Ramadan trwy aberthu dafad. Gwnaent gawl brown fel dŵr golch, mor wahanol i gawl a sêrs Mam. Roedd llygaid, perfedd, dannedd, esgyrn a phenglog yn nofio ynddo. Prynent greadur ar ôl gwneud yn siŵr mai’r ‘sarang’ a’i lladdodd. Roedd y cig fel lledr, a rhaid oedd bod yn ofalus rhag torri dannedd a’u hychwanegu at y cawl. A chyn i neb ddrachtio ohono rhaid oedd i’r Capten gymryd llwnc a bwyta un o’r llygaid cyntaf, o flaen pawb, o barch i’r cogydd ac i Allah.

*

Dro arall, daeth Somali i fyny i’m hystafell gan duchan fod y bwyd yn ddrewllyd a sur, ac yn rhy wael i’w fwyta. Rhaid oedd i minnau ei fwyta o flaen y morwyr i gyd i brofi bod bwyd y llong yn ddiogel ac yn iachus. Fe fwyteais gydag arddeliad gan droi fy nhafod a gwneud stumiau fel petai’r bwyd yn ardderchog.

Cofiwch, dwi ddim yn siŵr beth oedd yn y

Shepherd's Pie dieflig – a oedd yno lygoden Ffrengig neu ddwy o'r *bilge* yn gymysg â'r cig? Iechyd da!

★

Wen i'n gorfod bod yn feddyg ambell waith, gyda'r beibl meddygol wrth law – *The Ship Captain's Medical Guide* – a chyfarwyddiadau dros y weiarles, a ddes i i ben â hi yn go lew! Roedd hen ddywediad gennym yn y Cilie slawer dydd – Rhowch ddos o 'Kill or Cure' iddo a bydd e'n iawn!

Byddem yn rhoi llond llwy bowtir o Black Draft iddynt i gysgu drwy'r nos, tabledi M&B neu benisilin. Os torrai rhywun asgwrn, rhoi sblints am fraich neu goes, cyn troi mewn i'r porthladd agosaf. Pe buasai rhywun yn cael *rupture*, ei hwpo fe'n ôl â bys, a digon o iâ arni! Fe gwympodd rhywun lawr i'r howld – fel S. B. – a chafodd ddwy siot o forffin. Pan ddihunodd e, wedd e'n well! Fues i'n stitsho sawl un lan – troi ei wyneb e draw a gwirio'r croen gyda gyt da, cwlwm

Jac Alun yn India. Tynnwyd y llun yn Madras, Awst 1960, a'i ddanfon ymlaen at R. E. Griffith, golygydd *Blodau'r Ffair*.

arbennig, a bach o ddisinffectant. Jawch, wen nhw fel newy'!

★

Dwedodd Dic Jones, 'Os oedd hanner yr hanesion yn wir, mae'n rhyfedd fod ganddo gymaint ag un aelod o'r criw ar ôl i ollwng angor pan gyrhaeddon nhw borthladd.'

Un tro roedd y Capten Jac Alun yn aros wrth ochr y llwyfan yn barod i gyfarch Emrys, y bardd cadeiriol buddugol mewn eisteddfod ym Mhontrhydfendigaid. Roedd yn brynhawn poeth iawn a gwisgai ei siwt gaberdîn Americanaidd a'i het wellt Panama enwog ar ei ben, a sigâr fawr. Tynnai ei het i lawr fel arfer a'i chario yn ei law y tu fewn i'r pafiliwn. Ac oherwydd y gwres, gosodai ei fynegfys drwy ochrau'r het i wneud dau dwll gweddol o faint – a fyddai'n rhoi iddo ragor o awyr iach.

Cyn dringo i'r llwyfan gosododd ei het ar gadair gerllaw, a gwelodd un newyddiadurwr busneslyd hi, a'r tyllau anarferol. Gofynnodd gwestiwn mewn dull braidd yn amheus,

'Rwy'n gweld fod gennych chi dyllau yn eich het, Capten!'

'Bullets' oedd yr ateb a gafodd.

★

Er iddo ysmygu sigarennau a phib yn ei ieuenctid, roedd Jac Alun yn hoff iawn o'i sigâr. Ac amser Nadolig, wedi iddo ymddeol, byddai rhaid dod o hyd i sigâr arbennig. Agorai'r diwben ar fore'r Ŵyl gan dynnu clorwth o sigâr Henri Wintermans o'r gorchudd, ei dal yn ei fysedd a'i chodi uwch ei ben i oleuni'r ffenest. Yna dywedai, â fflach o ddireidi yn ei lygaid,

'Dyw hon ddim yn iawn,' a rhywun wedi gwario ffortiwn i'w phrynu. 'Wyt ti'n gweld, i wneud sigâr iawn, mae'n rhaid gwneud dau beth, fel geiriau yr hen ddywediad, "Made from the best Brazilian leaf and rolled on a maiden's thigh". Sdim ôl bysedd ar hon.'

Cyn hir daeth englyn i'r golwg:

Sigâr fu ar goes gwyry' – a gefais
gan gyfaill i'w smygu;
yn y mwg rwy'n edmygu
swydd a dawn y bysedd du.

Cwningod.
Stori gan Jac Alun, mab Esther y Cilie.

Roeddwn i'n postio cwningod at Wncwl Fred yn Nhreorci. Byddwn yn mynd lawr i siop Pontgarreg i'w postio gan glymu dwy wrth ei gilydd, a rhoi tamaid o bapur brown amdanynt a'u pwyso nhw. Os oedd y pwysau dros ryw farc roedd y gost yn mynd lan o naw ceiniog i swllt a thair.

Unwaith, roedd hen gymeriad yn y siop – John Jenkin Jones, Glangraig – ac medde fe wrth weld pwysau'r cwningod dros y marc, 'Peidiwch â becso.'

A dyma fe'n torri clustiau'r cwningod bant a'u traed blaen nhw, a'r siopwr yn dweud y drefn, nes ei fod e'n cael y pwysau i lawr i naw ceiniog. Un tro, dim ond y labeli a gyrhaeddodd Dreorci!

★

SAN FRANCISCO 1954
(Roedd gan y Capten Jac Alun bedwar o blant. Haws oedd danfon carden ag englyn arni i un, a'r cyfarwyddiadau i ddanfon y garden bost ymlaen o un i un.)

I Anwylyd, ferch John Alun, – lluniau
    lle enwog ar gerdyn;
  rho i weld i Tudor a Wyn,
  newidiwch â Jon wedyn.

Llythyr oddi wrth Jac Alun i'w fam.

SS Ravenshoe
(Buenos Aires, 1924)
Annwyl Mam,

… Mae'r Capten D. R. Williams wedi rhoi dyrchafiad arall i mi ac rwy'n awr yn *full-blown sailor* – ac rwy'n sgwâr iawn, medden nhw. Dyna braf fydd cael dod gartref a sŵn arian yn tincian yn fy llogellau a chael het lydan (fel Al Capone!) a siwt *double-breasted.*

... Dyna hiraeth ddaeth trosof ar ôl tair wythnos ar y môr pan ddeuthum o hyd i gola llafur yn *turn-ups* fy nhrowsus. Y noson honno, pe medrem, byddem wedi dychwelyd gartref i helpu Wncwl Isfoel yn y Cilie. ... i wisgo'r ceffylau, a'u harwain lan trwy Lôn Banc i Barc Tan Foel. Yno i ddatgymalu'r sopynnau, a 'nwylo yn ysgall i gyd cyn llwytho. Ac yna i ddisgwyl Mam-gu a Mary Hannah i ddod â te i'r cae. 'Na dalent wedyn! Bara gwenith, caws, cacennau, tarten fale a phlwms a phancos!

Y Capten Jac Alun, ysbïwr.
Stori gan ei fab, Jon Meirion.

Danfonodd Nhad lythyr at Mam o borthladd Taranto yn ne'r Eidal. Ond ymhen diwrnodau daeth sgwad o heddlu milwrol y Llynges i'w long – yr *SS Pentire* – a'i osod dan *open arrest*, hynny yw, dim caniatâd i adael ei long nac i hwylio yn ystod yr ymholiadau. Fe'i cyhuddwyd o fod yn berchen ar wybodaeth a allai fod yn fanteisiol i'r gelyn. Roedd y llythyr yn cynnwys 'gwybodaeth mewn cod cyfrin'.

Gosodwyd milwyr ar gangwe'r llong i atal fy nhad rhag mynd o'r llong ar fusnes swyddfa. Bu raid iddo ymddangos o flaen tribiwnlys milwrol. Roedd hyn yn ystod y Rhyfel Oer, yn dilyn yr Ail Ryfel Byd.

Roedd rhes niferus o swyddogion y Llynges y tu ôl

i'r bwrdd hirsgwar ac ambell un, yn ôl fy nhad, 'yn gwisgo medalau lawr i'w fogel!'

Dangoswyd rhestr y cyhuddiadau i Nhad a chwerthinodd yn uchel. Fe'i ceryddwyd ond gofynnodd am gael cymorth Cymro Cymraeg fel rhan o'i amddiffyniad. Cafwyd gafael ar forwr oedd yn hanu o Aberporth a oedd yn siarad Cymraeg ac yn digwydd bod ar long arall yn harbwr Taranto.

Rhyngddynt llwyddodd y ddau i egluro cynnwys y llythyr i'r llys. Derbyniodd Nhad ymddiheuriadau didwyll oddi wrth y Sanhedrin.

A beth oedd y neges gyfrin a oedd yn y llythyr? Wel, credwch neu beidio, cyfres o englynion ar gyfer Eisteddfod Rhydlewis oedd y cynnwys. Danfonwyd hwy ymlaen i Mam i'w hailysgrifennu ar gyfer yr eisteddfod i dwyllo rhywun arall y tro hwn – y beirniad.

DAFYDD IWAN

Dafydd Iwan a'r Crwban.

Stori gan Jac Alun.

Cafodd plant fy chwaer, Anwylyd a Ieuan, grwban yn anrheg, a chyn mynd i'r ysgol byddai Dylan a Cathrin yn ei fwydo ar lawnt y cefn ac yna âi mewn i'r gwrych i wneud ei fusnes. Ond trwy ryfedd wyrth dysgodd ddod allan o'r guddfan pan glywai lais Dafydd Iwan yn canu ar y recordydd tâp.

Ond och! Pallodd y peiriant ac arhosodd y crwban

yn y tyfiant. Cyfansoddais englyn a'i ddanfon at Hywel Gwynfryn gan ofyn iddo chwarae cân gan Dafydd Iwan oddeutu chwarter i naw y bore.

ANNWYL HYWEL GWYNFRYN

Allan o'i gwb daw'r crwban, – a'i weithred,
medd Cathrin a Dylan,
ydyw ffoi, ond o'i hoff fan
fe ddaw at Dafydd Iwan!

Bu'r ymgyrch yn llwyddiant mawr. Ond meddyliwch am y peth – fod crwban yn hoffi Dafydd yn canu! Beth nesa!

Llythyron.
Gorchwyl hwylus i forwr fel fi oedd ysgrifennu llythyron ar ran y tanwyr anllythrennog at eu cariadon a'u gwragedd. Ac yn fy nireidi ychwanegwn dipyn o ramant a geirfa flodeuog.

Ar ddechrau'r fordaith ddilynol dôi'r tanwyr bodlon ataf i gan ddweud,

'Thank you, John, my wife was very loving… and I have now another baby boy.'

'What did you put in those letters, John? I now have twin boys. Your loving letters are responsible for the big increase in the population of Tiger Bay!'

★

Dysgodd fy mrodyr, fy chwiorydd a minnau i ddarllen yn ifanc iawn. Dysgwn adnodau a'r Pwnc yn yr ysgol Sul, penillion Wncwl Isfoel, a thrwy wrando ar Mam yn darllen o'r *Dysgedydd* a *Tywysydd y Plant*. Hefyd dysgwn Saesneg o gatalogau dillad Oxendales a J. D. Williams ac un yn cynnwys beiciau o gwmni Smart yn Birmingham. Darllenwn hefyd eiriau ar focsys bwyd a photeli sos. Byddwn yn darllen am eitemau o'r catalog beiciau, a gwaeddai Jeremy, fy mrawd lleia, yn uchel, 'Halwch i hôl e.'

'Edrycha ar y beic 'ma. Tri gêr, crôm i gyd, un du neu wyrdd, sedd ledr a chloch bert.'

'Halwch i hôl e.'

'Gole bla'n a gole coch!'

'Halwch i hôl e!'

'Menig a phwmp hefyd!'

'Halwch i hôl e!'

'A beth am y bocs 'ma â'i lond o *ball bearings*?'

'Beth yw'r rheiny?'

'O, y... y... hade beics!'

'Halwch i hôl e!'

Danfonwyd llythyr a Postal Order i dalu am yr hade. Wedyn, yng nghwmni Jeremy euthum allan i'r ardd ar waelod y clos ac agor rhych gywrain a syth cyn hau'r hadau. Fe'u gorchuddiwyd â phridd a'u dyfrhau.

'Pan ddaw cawodydd Ebrill gei di weld y beics yn tyfu.'

Âi Jeremy allan yn aml i chwilio am y tyfiant.

'Ble ma' nhw?'

A bu raid i minnau chwilio am esgus da.

'Y, y… mae wedi bod yn wanwyn sych. A damo, damo, damo, mae'r hen frain 'na wedi bwyta'r cwbl. Blwyddyn nesa falle.'

Storïau am Jac Alun gan Jon Meirion, ei fab hynaf.

Roedd storïau 'celwydd golau' Nhad yn un o atyniadau mwyaf poblogaidd y Pentre Arms ar nos Sadwrn. Gyda'r beirdd lleol yn ei gymell roedd cynulleidfa barod iawn yn ychwanegu at yr hwyl.

Un o'r ffefrynnau oedd y digwyddiad rhyfedd yn yr Everglades ger Tampa, Florida. Roedd yn noson falmaidd drofannol a'r haul (15° o'r gorwel) yn disgyn i grud y machlud fel pelen o dân. Dros ganfas y ffurfafen roedd brws y creawdwr wedi creu caleidosgop o liwiau. Safai'r Capten Jac Alun ar bont y llong yn gwylio'r pelicanod yn pysgota. Daliodd un ohonynt lysywen fôr bron llathen a hanner o hyd. Cododd yr aderyn i'r awyr i lyncu'r lefiathan. Ond yn lle mynd i waelod y powtsh lle byddai'n treulio'i fwyd, aeth y llysywen yn syth i lawr corn gwddwg yr aderyn. Câi gryn drafferth i hedfan a chadw ei uchder. Nid oes cylla droellog gan y pelican ond ymhen ychydig ymddangosodd y llysywen fyw wrth ddod allan trwy ben ôl yr aderyn. Golygfa ryfedd oedd hi, gyda rhan o'r llysywen yn diflannu drwy un pen ac yn ymddangos a gwingo drwy'r pen arall, a'r aderyn yn ymdrechu i aros yn yr awyr.

Gwrandawai'r *greenhorns* (*deck-hands*) yn astud gyda'u llygaid fel soseri a'u cegau ar agor yn ddisgwylgar. O'r diwedd cwympodd y llysywen o'r entrychion tua'r dŵr ond llwyddodd y pelican i'w dal a'i llyncu yr eilwaith cyn iddi daro'r dŵr.

'Rhagor! Rhagor! Rhagor!' gwaeddai'r dorf, ac roedd y Capten yn brysur yn paratoi'r chwedl nesaf wrth lanw'i wydr.

*

Gan eich bod wedi mwynhau stori'r pelican – wele stori'r siwgr.

"Roeddwn yn hwylio â llwythi o siwgr gwyn o Giwba i Odessa yn Rwsia pan oedd Fidel Castro yn dod i rym. Roedd yr howldiau yn llawn o sachau 50kg gwyn gyda seren goch wedi ei marcio ar bob un.

Dôi pum sgwad o fenywod i'r llong yn ddyddiol i ddadlwytho. Roedd llawer ohonynt o dras uchel ac yn parhau i wisgo cotiau ffwr drudfawr, ond dan y Comiwnyddion yn gorfod gwneud gwaith trwm.

Ond un diwrnod daeth yr Ail Fêt ataf i ddweud fod llawer o sachau yn diflannu. Gwelais y menywod yn rhwygo'r sachau ac yn torri'r defnydd yn sgwariau bychain. Rhoddent y siwgr yn eu sanau, yn eu *sea-boots* ac yn eu blwmers. Rwy'n credu bod mwy o siwgr yn eu blwmers nag oedd yn y whilber.

Wedd torch incil rownd eu pengliniau i ddal y siwgr i mewn a cherdded fel hwyaid. Diflannodd 6,000 o sachau o un llwyth, 60 o fenywod yn dwyn un sach yr un bob dydd. Ond ni chlywyd gair o Moscow. Roeddent gyda'r gorau yn talu bob tro o bwrs y wlad, a gan mai o Giwba y dôi'r siwgr, TAW PIAU HI."

★

Ar lawer o longau Nhad roedd caban yn y bow wedi ei neilltuo i'r criw a oedd yn Fwslemiaid er mwyn iddynt ei addasu fel lle i addoli. Gosodwyd carpedi ar y llawr ac addurnwyd y muriau. Dôi arogleuon arogldarth ohono yn aml. Nid oedd hawl gan neb ond y Mwslemiaid i fynd mewn i'r ystafell.

Wrth hwylio o Ganada i'r Barri â chargo o wenith yn 1934 trawyd y llong *SS Pengreep* gan storm ddychrynllyd. Roedd y tonnau yn frawychus ac yn golchi dros y llong. Y gorchymyn oedd, 'Batten down the hatches!'

Torrodd offer y llyw – y tsiaen a'r *quadrant*, ac anafwyd y Mêt a dau o'r criw wrth iddynt ymbalfalu i lawr yn y twnnel ym mherfeddion y llong.

Yn ystod y prysurdeb daeth yr Arabiaid â'r ieir

pasgedig, a gadwent ar y llong, dan eu ceseiliau i'r *poop deck*. Gweddïent ar Allah trwy wynebu Mecca i achub y llong. Yn sydyn torrwyd pennau'r adar uwchben y llyw nes i'r gwaed oferu dros y bothe a'r breichiau. Yna taflasant gyrff yr ieir dros y starn i'r môr berw. A chredwch neu beidio, gostegodd y môr ymhen yr awr, a gwelwyd seren unig ond llachar mewn darn o lesni yng nghanol y cymylau duon.

Atgyweiriwyd y llyw ond ni chafodd Jac Alun ffowlyn yn ginio Nadolig – dim ond tair sleisen o'r *corned beef*! Ond roedd hynny'n well na chael cinio ar locyr Davy Jones ar waelod y môr.

ALUN WYNNE

Stori gan Jon am ei frawd Alun Wynne, ail fab Jac Alun ac Ellena Jones, a oedd yn athro ymarfer corff yn Sir Gaer.

Roedd gan Mam gloc glas porslen gwerthfawr o Ffrainc, oedd bob amser yn cael lle anrhydeddus ar ganol y *mantlepiece* uwchben y lle tân.

Roedd hefyd yn arfer gan fy mrawd ryddhau ei glocs ac yna roi shigwdad a herfa iddynt. Ond un dydd rhoddodd ysgytwad nerthol iddynt a hedfanodd un ohonynt a tharo'r cloc glas a'i dorri yn deilchion!

ELFAN

Stori gan Elfan James Jones, ail fab Esther a Joshua, a brawd Jac Alun. Roedd yn forwr, yn amaethwr, ac yn heddwas yn Llundain.

Âi llawer o fechgyn lleol Cwmtydu, Llangrannog a Cheinewydd i'r môr gyda chapteiniaid a oedd yn adnabyddus iddynt neu i'w teuluoedd. Cyn hwylio galwai'r capten y *greenhorns* i mewn i'w gaban. Yno byddai'n holi'r bechgyn sut roeddent am drefnu eu cyflogau misol. Roedd yn arferiad i roi a buddsoddi hanner y cyflog mewn cyfrif banc neu swyddfa bost ar y lan neu ei anfon at rieni.

Cofnododd Elfan hanes capten lleol, John Davies, Glandewi, Pontgarreg, yn holi un o'r morwyr ifanc. Wrth gasglu ei enw a'i gyfeiriad gofynnodd,

'Beth yw enw dy dad?' ac wedi ei gofnodi symudodd at y cwestiwn nesaf.

'Beth yw enw dy fam?'

'Sai'n gwbod.'

'Dwyt ti ddim yn gwbod enw dy fam?'

'Nadw.'

'Wel, beth mae dy dad yn ei galw?'

'O, yr hen yffarn.'

Bwbach y Cilie.
Stori gan Elfan Jones.

Gosododd y bois fwbach y brain ger clawdd y clos isaf a'i wisgo mor debyg i Siors â phosibl. Yn wir, roedd y rhan fwyaf o'r rig-owt yn eiddo i Siors. Daeth Gruffydd Thomas, Ffynnon-wen, heibio un diwrnod ar ei ffordd i Felin Huw ac arhosodd gan gyfarch y bwbach o'i gert.

'Bore da, Siors, sut wyt ti? Debyg i law 'to. Glywest ti am Phibi Siop? Niwmonia ym mis Medi, bachan, bachan! Wy'n gweld dy fod wedi gwisgo'n dda heddi 'to. Bach o awel 'da hi. Wela i di ar y ffordd 'nôl. C'mon, Bess fach.'

A do, cafodd Gruffydd sgwrs hir arall gyda'r bwbach ar y ffordd 'nôl.

Isfoel a John Brown.
Stori gan Isfoel.

Roedd hi bron â bod yn bump o'r gloch y bore. Agorodd Isfoel ychydig o ffenest ei ystafell wely yn y Cilie ac ymestyn ei freichiau led y pen. Yna, yn sydyn, sylwodd ar reffyn hir o fwg glas tân coed yn codi'n syth o simne y Gegin Fach. Aeth lawr y grisiau yn ei goban nos a'i sanau mor ysgafndroed a distaw â phosibl. Cododd latsh y drws i'r gegin fach, a chlywodd y tân yn poeri a chretsian wrth i'r fflamau losgi'r gangen onnen fawr a wthiwyd droedfedd wrth droedfedd i mewn i'r cochni, fel y gwnâi traed y bois.

Roedd yr ystafell, yn ôl Isfoel, yn llawn o angylion – oll yn eu gynau gwynion, yn rhesi o wisgoedd a'u breichiau ar led mewn cytgord. Fe'u gosodwyd allan yn drefnus ar y meinciau – y fudde fenyn, y pair, y *press* caws, y twba golchi – ac o gylch y simne lwfer i sychu.

Gwyddai Isfoel nad oedd yn y nefoedd mewn breuddwyd, ac edrychodd o amgylch am ennyd. Ac yno, yn eistedd ar y sgiw yn ei hyd, a'i whisl dun yn un llaw, roedd yr hen grwydryn hoffus, John Brown, yn hollol borcyn! Dôi i'r Cilie yn gyson ar gyfer y cynaeafau gwair a'r llafur, i blufio ac i balu'r ardd.

Roedd drws agored iddo bob amser.

'Anfynych iawn fu yno
Weled na chlicied na chlo.'
(Cywydd Iolo Goch i Sycharth)

Eisteddfod Genedlaethol 1959.

Enillodd Jac Alun y gystadleuaeth am gyfansoddi englyn ar y testun 'Y ffon wen'. Y beirniad oedd W. D. Williams.

Rhag damwain, claer gydymaith, – arwydd wen
ar ffordd ddu ei noswaith;
dyma radar ei rwydwaith
lywia'r dall wrth deimlo'r daith.

TAP, TAP-TAP

Roedd yn tramwyo'r Môr Tawel ar y pryd a bu raid i'w fab, Jon Meirion, gasglu'r wobr ar ei ran. Danfonodd ei wraig y frysneges ganlynol i'w longyfarch:

SS SILVERSTONE
YOKOHAMA, SIAPAN

LLONGYFARCHIADAU BUDDUGOL AR YR ENGLYN YNG NGHAERNARFON.

CARIAD.

LENA

Ond derbyniodd fy nhad alwad ffôn oddi wrth yr asiant Siapanaidd:

'You come to office, now quickly; cable flom Gleat Blitain. Cable in stlange ranguage!'

Rhuthrodd fy nhad draw i'r swyddfa i dderbyn y frysneges. Llawenydd mawr!

Curo'r sensor eto fyth!
Stori gan Jon Meirion.

Penderfynodd fy rhieni ddyfeisio cynllun i guro'r sensor yn ystod blynyddoedd yr Ail Ryfel Byd. Cytunwyd ar restr o enwau cymeriadau ardal Pontgarreg a gosod gyferbyn restr o borthladdoedd fyddai Nhad yn ymweld â nhw. Fe osodwyd y rhestr ar wal y gegin.

E. R. Jones, Ysgolfeistr – Montreal
Tom Thomas, Gweinidog – St. John's
John Davies, Llety Cymro – Glasgow
Siencyn Griffiths, dyn yswiriant – Freetown
Isfoel, bardd, gof – Lerpwl

Chesney Davies (Erwan), ffermwr – Halifax
Frank Taylor, cyn-gapten – Buenos Aires
Joshua Davies, saer maen – Montevideo

Ysgrifennwyd y llythyron yn Gymraeg a phob prifenw mewn llythrennau bychain, cyffredin fel nad oedden nhw yn tynnu sylw, e.e.

Ydy e.r. jones y sgwlyn wedi ymddeol?

Ydych chi wedi talu premiwm yswiriant y tŷ?

Gwyddai Mam fod Nhad wedi gadael Montreal am Freetown yn Sierra Leone.

Cynhaeaf y Cilie (1966).
Roedd Jon Meirion, ac Aures, ei wraig, yn bresennol yn y sgubor ac wedi gweld yr holl dalent!

Hon oedd y rhaglen deledu Gymraeg gyntaf i'w gosod ar dâp fideo gan y BBC. Yn ôl Ifor Rees, y cynhyrchydd, 'Yn Llundain yn unig roedd yr offer tâp – a chafwyd caniatâd i'w ddefnyddio, dim ond i ni recordio o ddeg o'r gloch y nos ymlaen.' Rhaid oedd cynhyrchu trydan o'r *generators*. Rhaid hefyd oedd cael lincs radio o'r Cilie i Lundain. Taflwyd y llun i ddechrau i linc ar Bencarreg (ger Llambed), yna i Cockett (ger Abertawe), yna i Gaerdydd ac ymlaen i Alexandra Palace yn Llundain.

Ar y noson, ychydig funudau cyn recordio, dechreuodd un technegwr ieuanc chwistrellu i gael gwared o'r holl bryfed a gwyfynod oddeutu'r meicroffonau. Llwyddodd i ffiwsio'r meics i gyd! Dyna regfeydd! Daethpwyd o hyd i feics glân ychydig funudau cyn ffilmio – ac amser i gyfansoddi englyn ar y pryd.

Manwfers y bomers bach – a halodd
yr hol lot yn ffradach:
a 'fflit' wnaeth bethau'n fflatach,
aeth 'meic' ar streic, dyna strach!

Recordio rhaglen deledu mewn hen fwthyn ar dir fferm yr Hendre yn 1966. O'r chwith: T. Llew Jones, Alun Tegryn, Dafydd Jones (Ffair-rhos), Dic Jones, Donald Evans, Alun Cilie, Gerallt Jones a Thydfor.

Stori gan Jon am T. Llew Jones.
Roedd yntau'n briod â Margaret Enidwen, merch Esther y Cilie.

Cyflwynodd T. Llew Jones rai o'i ddyddiaduron i'r Llyfrgell Genedlaethol, ond gyda chymal amodol – rhaid cael caniatâd oddi wrth Emyr ac Iolo i ddyfynnu ohonynt. Ymhen hanner blwyddyn neu ragor, derbyniodd T. Llew lythyr yn cynnwys pum punt roedd rhywun wedi'i ddarganfod ymhlith y tudalennau. Roedd e'n meddwl ei fod wedi tynnu'r pum punt allan i dalu dyn y llaeth ond roedd e wedi anghofio, a'i osod yn y dyddiadur.

Meddai T. Llew wrthyf, wedi i'r stori ymddangos yn *Y Gambo*,

'Meddylia, bydd pobl yn mynd lan i'r Llyfrgell Genedlaethol nid i ddarllen fy nyddiaduron, ond i chwilio am ragor o bapurau pum punt!'

JON

Genedigaeth Jon Meirion Jones yn Nhanycastell, Blaencelyn.

Nid oedd fy nhad adre pan y'm ganwyd ar yr 20fed o Dachwedd 1935. Roedd yn Ail Fêt ar y llong *SS Auretta* ac yn Vladivostok ym mhen draw Siberia ar y pryd, ac yn llwytho coed wedi cario gwenith o Awstralia. Yn ôl yng Ngheredigion deg roedd y teulu yn dathlu genedigaeth y cyntaf-anedig, a'i dad ymhell bell ym mhen draw'r byd.

Un o'r rhai oedd yno oedd Dafydd Isfoel, ac yn ôl ei dalent arferol aeth i lawr i Swyddfa'r Post ym Mhont-fair, Llangrannog. Yno trigai Myfanwy Griffiths a'i chwaer Hettie oedd yn gyn-athrawes. Myfanwy a gadwai'r post, a hi ddysgai blant i adrodd. Hi hefyd oedd cynhyrchydd cwmni drama Crannog-Cilie.

'Bore da, Dai.' (Dyna a alwai ei gydnabod Dafydd Isfoel.)

'Bore da, Fanw.'

'Sut alla i dy helpu di?'

'Rwy am anfon teligram i Jac Alun i ddweud wrtho fod ei fab cyntaf-anedig wedi cyrraedd ac yn globyn iach.'

'I ble wyt ti am hala'r neges?'

'I Vladivostok.'

'Dai, paid rhegi! Beth oedd y gair 'na?'

'Vladivostok!'

''Na fe, ti wedi rhegi 'to!'

'Nadw, nadw, enw lle yw e ym mhen draw'r byd, os nag yn uffern!' (Dyna hoff ddywediad Isfoel!)

Ysgrifennwyd y cyfarchion ar ffurf englyn ar bapur swyddogol a'i anfon dros y ffôn i orsaf radio Portishead, cyn iddo fynd drwy'r awyr dros Ffrainc, Gwlad Pwyl ac i ben draw Rwsia.

Jac, come back from Pernambuco, – bid *adieu*
    Abandan and Rio;
  In Las Palmas, let the grass grow
  And to Meirion, come tomorrow.

Ar ôl derbyn y neges casglwyd y swyddogion ar y llong ynghyd i ystafell Capten Chappell a thynnodd hwnnw botel brin o wisgi *malt*. Goleuodd llygaid llawer o'r criw ac wrth daflu'r neithdar i lawr y lôn goch, meddai'r Mêt, a'i lygaid yn syllu'n syn ar weddillion y botel,

'What a pity, John Alun, you did not have a baby boy every day!'

Danfonodd John Tydu, pumed plentyn y Cilie, englyn i Mam o Montreal, Canada:

Jon Meirion, aer y morwr, – adloniant
    Ellena'n ei pharlwr;
  A seren a chysurwr
  Ei dad ar wyneb y dŵr.

'Che cos'è... di-ffarni?'

Roeddwn yng nghwmni Aldo Redamante, cyn-garcharor rhyfel Eidalaidd yn Henllan, 1943–46. Gofynnais iddo ysgrifennu'r cymal yn ei iaith wreiddiol.

'Si, si, io comprendo. It says, "Myn uffarn i".'

'Where did you hear it?'

Dywedodd mai Wil Morgan, fforman y partïon o garcharorion a âi allan i'r ffermydd fyddai'n ei ddweud. Petai'r Eidalwyr yn araf yn dod allan o'r lorri byddai Wil yn codi ei lais –

'If you don't come out quickly I'll be in there after you – myn uffarn i!'

A dyna fu ei ffugenw. Pan fyddai lorri yn cyrraedd man eu gorchwyl rhoddai orchymyn i Aldo, 'Open the tail-gate and hold my gun while I jump down!'

Ie, wir i chwi!

Dychwelodd Aldo i Gymru yn 1985 gyda Mario Ferlito a'i wraig Maria, a hefyd Caterina, gwraig Aldo.

Trefnais fod Wil Morgan yn dod draw i'm cartref i gyfarfod â rhywun yr oedd heb ei weld ers blynyddoedd. Cedwais Aldo yn y lolfa nes i Wil gyrraedd y clos. Pan ymddangosodd yr Eidalwr adnabu Wil o bellter. Cododd ei freichiau i fyny i'r awyr a gwaeddodd, 'Myn uffarn i!' Dyna'r cyfarchiad cyntaf ers deugain mlynedd. Cofleidiodd y ddau a'r dagrau yn llifo dros eu gruddiau. Ni fedrai Aldo siarad Cymraeg. Ni fedrai Wil siarad Eidaleg.

Roedd yn uniad emosiynol unigryw ac yn fythgofiadwy. Eu hieithwedd oedd eu dagrau. Arferai Aldo seiclo o'r gwersyll i gartref Wil yn y Winllan, Penrhiwpâl ar y Suliau a chael cinio, te a swper – trwy gydol y rhyfel!!

Sut sgwlyn yw e?

Wedi wyth mlynedd yn dysgu yn Ysgol Gynradd Meole Brace, Amwythig, cefais ddyrchafiad wedi ymddangos o flaen y Sanhedrin – sef Cyngor llawn Sir Aberteifi yn Aberaeron. Ymhen dau fis byddwn yn bennaeth ar Ysgol y Ferwig ac yn dychwelyd i fy sir enedigol. Roedd y cyn-bennaeth, Mr John Davies, wedi gwneud y swydd fel Gamaliel yno dros 33 o flynyddoedd ac yntau hefyd yn hanu o Bontgarreg, ger Llangrannog.

Roedd tipyn o ddiddordeb yn y sgwlyn newydd ac aeth un o gymeriadau'r Ferwig i fyny am noson i'r Pentre Arms. Eisteddodd ar bwys un o'r cymeriadau eraill a dechrau ei holi am bedigri a gallu y sgwlyn newydd.

'Y'ch chi'n nabod ein prifathro newydd?'

'Sut un yw e?'

'A dweud y gwir, ni'n falch o gael ei wared e! Pwdryn yw e. Wedi mynd i'r Ferwig i hanner riteiro yn yr unfan. Ac Annibynnwr yw e hefyd. Shwt gafodd e'r job? Nabod y *councillors,* siŵr o fod.'

'Shwt y'ch chi yn ei nabod e mor dda? Pwy y'ch chi?'

'Fi yw ei dad!'

'Wel, y diawch erio'd! Gwmpes i am honna.'

Roedd hi'n noson hwylus iawn.

ENGLYNION JON MEIRION

CALON LÂN

Heddiw, ni fu'r un bloeddian – â'r sigars
a'u gwynt, tra Delilah'n
hawlio'i chôr, daeth mawl a chân
o'r cof, gan drosi'r cyfan.

WESTERN MAIL

Daw â'i lwyth Cenedlaethol – o drin byd
draw i'n bwrdd plygeiniol;
wedi 'ngwadd i'r angladdol
a'i sêr hud – be sy ar ôl?

Y CAMBRIAN COAST EXPRESS

Un haf ar Gyffordd Dyfi, – ie, yn sownd
ers saith o Lanelli:
blydi hel, ble, Pwllheli?
Nefi wen! ARRIVA i.

Y BABELL LÊN

Eisteddfod Genedlaethol Ynys Môn 2017
(Fe'i disgrifiwyd gan rywun fel 'bordello'.)

Parlwr cinci o'i saernïo, – wal goch
golau gwan, lle i gwato;
naws beirdd a rhai nwydwyllt, sbo,
yw'r deiliaid o'r 'bordello'.

ACHAU

(Y paladr gan Jon a'r esgyll gan Isfoel.)

O bair Adda bo'i wreiddyn – eto siawns
fod y tshimp yn perthyn;
'Os epa yw dada dyn,
pwy ydyw papa wedyn?'

TRE'R SOSBAN

Pwll, y Farchnad a'r Stradey – a hefyd
Dafen a Swiss Valley.
Heb y rhain ni fyddai bri
yn niwylliant Llanelli.

'DILAN' THOMAS

(*Under Milk Wood*)

Er Orchwy'r 'Weddi Hwyrol' – y 'Blue Bell'
yw y bar tragwyddol;
her i leisiau arloesol –
hen Gei roedd – a BUGGERALL!

O.N. Mae llawer yn credu mai'r Parchedig Orchwy Bowen (gweinidog capel Towyn) Ceinewydd oedd y symbyliad i greu cymeriad y Parchedig Eli Jenkins yn *Dan y Wenallt*.

Y FWYDLEN
(Wedi bwyta 'couscous en croûte in a Wellington crust and served in a blackberry sauce' – aduniad Coleg y Drindod, blwyddyn 1957.)

Un tyff a fu'r 'Wellington' – a'r couscous
mewn casyn 'da'r moron;
er da yw'r mwyar duon –
bwyd da Nigella i Jon!

TREIFFL ENWOG CAFFI'R EMLYN
(o flaen gweinidog a oedd yn ŵr gwadd)

Fel Tŵr Babel o jeli – yn hufen
a mefus o'r pantri;
a'r haeddiant, gair o weddi
wrth i'r 'parch' ei chyfarch hi.

Y Bara Lawr.

Pan ddychwelodd Mario Ferlito o'r Eidal i Gymru yn 1977 am y tro cyntaf ers 1946, bu pump ohonynt yn aros yn ein cartref ni – Bryndewi, ger Pontgarreg.

Un bore i frecwast paratoais fara lawr iddynt. Pan welson nhw y *porphyra umbilicalis* dychrynodd yr Eidalwyr gan wrthod ei fwyta nes i mi ei fwyta gyntaf. Roedd ei liw, a'i ffurf a'i slecht yn debyg i rywbeth roeddent wedi'i weld ar glos fferm amser godro.

Adroddais y stori i gymdeithas Gymraeg Capel Pencader. Yn ystod y diolchiadau ar ddiwedd y noson, cyfeiriodd y gweinidog, y Parch. Brinli Thomas, at y brecwast rhyfedd mewn cwpled cynganeddol:

I'r teulu o'r Italia
Dyna siom oedd y dom da.

Eog Jon o'r 'West'.

Roeddwn wedi pysgota unwaith yn fy mywyd cyn hyn – gyda D. N. Williams a'i feibion Keith a Malcolm o Gwmtwrch, rhywle ger Llanwrtyd. Ond ddaliais i ddim byd bryd hynny.

Ym mis Awst 1987 euthum allan i Ilwaco a Chinook, talaith Washington, U.D.A., i aros gyda pherthnasau, sef disgynyddion bwthyn Aberdauddwr, ger Cwmtydu. Fe'm gwahoddwyd i bysgota ar gwch arbennig ar afon Columbia.

Ymhen ugain munud roeddwn wedi dal eog Chinook anferth 32 pwys. Euthum ag e i mewn i'r popty arbennig. Cynigiwyd gwasanaeth rhyfeddol i mi!

'You have a swell fish. It's like a silver dollar. Do you want it baked, frozen, vacuum-packed, smoked or canned?'

Atebais innau, 'I'll have it canned!'

'Where do you live?' gofynodd y pobydd.

'Bryndewi, Llangrannog, Llandysul, Ceredigion, Wales, UK,' oedd fy ateb.

'No problem! We'll deliver. Do you want it surfaced or air-mailed?'

Wedi holi fel Cardi da, deallais fod ei yrru ar awyren yn ddrud iawn! Fe'i danfonwyd ar long – 58 o duniau!

Pan gyrhaeddodd y parsel anferth a thrwm bu raid i ddau ohonom, Alun Griffiths y postmon a minnau, ei gario i mewn i'r tŷ.

Rhoddais label ar bob tun; rhai yn goch a rhai yn wyrdd, ac arnynt enw'r cynnyrch –

EOG JON O'R WEST (John West!), llun eog o waith Enfys Jenkins, sut y'i daliwyd ac ym mhle, a chwpled hefyd o waith Isfoel:

Rhoist i mi gig rhost y môr,
Daeth melysfaeth o lasfor.

Ffoniais Lyn Ebenezer ac ymddangosodd y 58 tun a minnau ar y rhaglen *Hel Straeon* o stiwdio Cibyn ger Caernarfon.

Does ond 6 ar ôl bellach! Rwyf wedi rhoi rhai i'r teulu

Eog 'John o'r West'. 58 o duniau yn cynnwys cig yr eog a ddaliwyd gan Jon Meirion yn afon Columbia, talaith Washington, pan oedd yn aros gyda pherthnasau oedd â'u gwreiddiau yng Nghwmtydu.

niferus, i ffrindiau, i'r gweinidog, i'r dyn yswiriant, i ddyn glo, ac i'r postmon.

Bwytaodd fy nheulu y gweddill. Blasus iawn ond rwyf yn teimlo'n 'eog' na ddaliais ragor o bysgod!

Rwy'n rhoi pinsiad i mi fy hun, i weld, ac i deimlo, a ddigwyddodd hyn i mi.

F. M. (DERIC)

Stori am F. M. (Deric) Jones a'i frawd, Dafydd Rhagfyr.

Galwai gweinidogion di-ri ym Maesmor, Tal-y-bont i flasu cwmnïaeth gyfoethog Fred Jones. Un o'r ymwelwyr cyson oedd y Parchedig W. T. Griffiths, Llandeilo, gŵr dibriod o Sir Fôn. Yn ystod un ymweliad cytunodd i aros am baned o de a chwarter awr o sgwrs. Dywedodd,

'Mae rhywun yn y car. Ddaw hi ddim mewn.'

Yn dawel rhuthrodd pawb allan i'r Morris 8 i weld y 'wejen' ond er difyrrwch i bawb, llo bach ifanc oedd yna.

Unwaith, yn ystod Cymanfa Dair Sir ym Methel, Tal-y-bont, clywodd Dafydd Rhagfyr a Deric fod awyren wedi glanio ar draeth Ynys-las. A rhwng y ddwy bregeth roedd Morris 8 y Parch. W. T. Griffiths yn rhy gyfleus, felly benthycwyd y cerbyd a'i gychwyn, trwy wasgu botwm yn unig, gan y ddau frawd yn eu harddegau cynnar, i fynd draw i weld yr aderyn rhyfedd, a dychwelyd yn ddianaf heb i neb wybod.

Llythyr o'r Môr.
Hanesyn arall gan Jac Alun.

Rwy'n credu mai dianc i'r môr a wnes i. Dim ond Mam a minnau oedd yn gwybod fy mod wedi mynd.

Nid oedd asiantaeth diweithdra na chanolfan waith i'w cael y pryd hynny. Es i fyny i weld y Capten D. R. Williams – Towyn Cottage, Ceinewydd, oherwydd roedd yn un o'm harwyr. Roedd yn un o'r Cape Horners ac wedi colli mast mawr ei long hwyliau, yna ddychwelyd i Montevideo ac achub y llong a'r criw.

Cefais sgwrs hir a chyngor ganddo, a chofiaf un sylw – 'Yr oedd crwt wedi ei godi rhwng cyrn yr aradr goch yn fwy o foi na'r rhelyw pan ddôi i wasgfa ar y môr.'

Ymunais â'i long, yr *SS Ravenshoe,* yng Nghaerdydd â llwyth o lo i Buenos Aires. Roedd y llong i alw yn Santiago, Cuba i godi rhagor o'r *bunkers* – sef glo i'w gyrru. Danfonodd fy mam lythyr i mi trwy law y postmon ar gefn beic. Y cyfeiriad arno oedd:

Mr John Alun Jones,
Ordinary Seaman
SS Ravenshoe,
c/o The British Consul,
Santiago
Cuba

Pan gyrhaeddodd y llythyr roedd y llong wedi bod yno a chasglu tanwydd a hwylio ymlaen i Dde America. Hefyd, Sbaeneg oedd iaith y Conswl Prydeinig ac ni ddeallodd lythyr fy mam, felly ailgyfeiriodd ei llythyr yn ôl i Mam. Ac yn rhyfedd iawn, cyrhaeddodd yn ddiogel i'r cyfeiriad canlynol:

Dy Annwyl Fam,
Dydd Iau,
Gaer-Wen,
Cross Inn,
Henllan R.S.O.
Cards

O.N. Arferai Mam lofnodi gwaelod y llythyr fel a ganlyn:

Dy Annwyl Fam.

Aduniad y teulu ar glos y Cilie cyn yr arwerthiant. Gwelir Dylan, yr olaf o'r teulu i fyw yn y Cilie, yn eistedd yn y blaen, a'r ci defaid yn ei gôl.

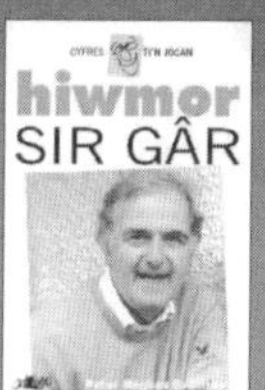

www.ylolfa.com

Holwch am bris argraffu!
www.ylolfa.com